LA MEJOR COCINA

Chocolate

Queen Street House
4 Queen Street
Bath BA1 1HE, RU

Producido por The Bridgewater Book Company Ltd

Traducción del inglés: Anca Sandu
para Equipo de Edición, S.L., Barcelona
Redacción y maquetación:
Equipo de Edición, S.L., Barcelona

ISBN: 1-40542-515-6

Impreso en Indonesia

NOTA

Se considera que 1 cucharadita equivale a 5 ml y 1 cucharada a 15 ml. Si no se indica lo contrario, la leche será siempre entera, los huevos y las verduras u hortalizas, como por ejemplo las patatas, de tamaño medio, y la pimienta, pimienta negra recién molida.

Las recetas que llevan huevo crudo o muy poco cocido no son indicadas para los niños muy pequeños, los ancianos, las mujeres embarazadas, las personas convalecientes y cualquiera que sufra alguna enfermedad.

Sumario

Introducción

¡El chocolate! La simple referencia a cualquier producto asociado con este dulce tan apetecible puede cambiarle la mirada al adicto al chocolate.

El árbol de cacao, *theobroma cacao*, originario de Sudamérica, era cultivado a principios del siglo VII por los mayas, que pusieron en marcha un próspero comercio y que incluso utilizaban su fruto como moneda de cambio. En 1502, Cristóbal Colon lo llevó a España, pero fue mucho más tarde que Cortés introdujo el *xocotlatl*, receta de la corte mexicana de Moctezuma de una bebida elaborada con sus bayas tostadas y molidas, y agua fría. Para mejorar el sabor de este brebaje espeso y amargo se añadía vainilla, especias, miel y azúcar, y con el tiempo llegó a servirse caliente. Se creía que el cacao curaba una gran variedad de dolencias y estimulaba la resistencia física.

En el siglo XVII su popularidad se expandió por el resto de Europa. Francia fue el primer país en sucumbir a su embrujo, luego Holanda, convirtiéndose Ámsterdam en el puerto de llegada de cacao más importante después de España. De allí se extendió hacia Alemania, más tarde hacia Escandinavia, por el norte, y hacia Italia, por el sur. A mediados del siglo XVII llegó a Inglaterra, y las chocolaterías empezaron a rivalizar con las recién abiertas cafeterías.

A principios del siglo XIX, el químico holandés Coenraad Van Houten ideó una prensa para extraer la materia grasa de las bayas y desarrolló un método para neutralizar su acidez, obteniendo manteca de cacao casi pura y un "pastel" consistente que se podía moler para conseguir un polvo que se usaba para aromatizar. Esto hizo posible consumir chocolate tanto sólido como líquido.

En 1847, apareció en Gran Bretaña la marca Fry's y en Suiza se fundaron grandes compañías de chocolate. En 1875, se mezcló con leche condensada y se obtuvo así el primer chocolate con leche. En esta época, Lindt obtuvo un producto cremoso, que se fundía en la boca, rasgo todavía hoy asociado al nombre de la empresa.

El árbol del cacao se cultiva en África, en las zonas tropicales de América, en las Antillas y en el Extremo Oriente. Tras la cosecha, sus granos se exponen al sol para desarrollar su sabor a chocolate. Después de retirar la cáscara se somete a un proceso para obtener sólido de cacao. Finalmente, se extrae la manteca de cacao con la que se prepara el chocolate en todas sus formas.

Recetas básicas

La preparación del chocolate

Fundir el chocolate al baño María

1 Trocee el chocolate en pedazos de tamaño parecido y colóquelos en un cuenco resistente al calor.

2 Coloque el cuenco sobre un cacerola con agua hirviendo a fuego lento, procurando que su base no quede en contacto con el agua.

3 Cuando se empiece a derretir, remueva suavemente hasta que quede cremoso. Apártelo del fuego.

Nota: No lo funda directamente sobre la fuente de calor (excepto si lo hace junto a otros ingredientes, en cuyo caso deberá mantener el fuego bajo).

Fundir el chocolate en el horno microondas

1 Trocee el chocolate en pedazos de tamaño parecido y colóquelos en un recipiente adecuado para el horno microondas.

2 Coloque el recipiente en el microondas. Para 125 g de chocolate negro utilice la frecuencia alta 2 minutos, y para el chocolate blanco o con leche, la frecuencia mediana unos 2-3 minutos.

Nota: Puesto que la temperatura y la frecuencia de los hornos microondas pueden variar, es recomendable consultar primero las indicaciones del fabricante.

3 Remueva el chocolate con una cuchara, déjelo reposar unos minutos y vuelva a remover. Si es necesario, colóquelo de nuevo en el horno microondas 30 segundos más.

Adornos de chocolate

La decoración añade al pastel un toque especial. Las figuras de chocolate se pueden guardar entre hojas de papel antiadherente en recipientes herméticos. Las de chocolate negro se conservan unas 4 semanas y las de blanco o con leche, unas 2 semanas.

Virutas

1 Extienda el chocolate fundido sobre una tabla acrílica limpia y déjelo enfriar.

2 Cuando el chocolate se haya endurecido, sostenga la tabla con firmeza, coloque un cuchillo de hoja lisa sobre el chocolate y desplácela hacia usted en un ángulo de 45°, raspando el chocolate. De este modo obtendrá unas virutas alargadas de forma irregular.

3 Levante las virutas de la tabla con la hoja del cuchillo.

Virutas rápidas

1 Para las virutas rápidas, escoja una tableta de chocolate gruesa y manténgala a temperatura ambiente.

2 Con un pelapatatas de hoja giratoria bien afilado, rasque ligeramente la tableta para obtener virutas finas, o con más presión para que sean más gruesas.

Nota: Antes de rallar el chocolate asegúrese de que está duro. Si hace calor, enfríe el chocolate en la nevera antes de utilizarlo.

Hojas

1 Utilice hojas frescas y flexibles, de nervios marcados, limpias y secas. Sostenga una hoja por el tallo y, con un pincel, aplique una capa uniforme de chocolate fundido sobre la cara inferior.

2 Haga lo mismo con las restantes y colóquelas con la cara pintada hacia arriba sobre una bandeja de horno forrada con papel encerado.

3 Déjelas enfriar al menos durante 1 hora. Cuando el chocolate se haya endurecido, desprenda cada hoja de su capa de chocolate.

Pasteles, tartas y bizcochos

Resistir la tentación de probar un atractivo trozo de pastel de chocolate es algo difícil, y ningún libro dedicado al chocolate sería completo sin una selección de pasteles, tartas y bizcochos; en este capítulo hay una gran variedad para escoger.

Los más se atrevidos pueden variar los rellenos y las decoraciones según su imaginación. La alternativa es seguir nuestras fáciles instrucciones paso a paso y observar nuestras magníficas fotos para obtener resultados óptimos.

Las tartas de este libro son un regalo para la vista, al igual que los deliciosos pasteles, muchos de los cuales se pueden preparar con sorprendente facilidad. Los bizcochos son muy adecuados a la hora de la merienda y se pueden elaborar con un esfuerzo mínimo. De modo que la próxima vez que le apetezca probar alguna delicia, estas recetas le garantizarán el éxito.

pastel de chocolate con almendras

para 8 personas

175 g de chocolate negro
175 g de mantequilla
125 g de azúcar lustre
4 huevos, con las claras separadas
¼ cucharadita de crémor tártaro
6 cucharadas de harina de fuerza
125 g de almendra molida
1 cucharadita de extracto de almendra

COBERTURA

125 g de chocolate con leche
25 g de mantequilla
4 cucharadas de nata espesa

PARA DECORAR

25 g de almendra fileteada tostada
25 g de chocolate negro fundido

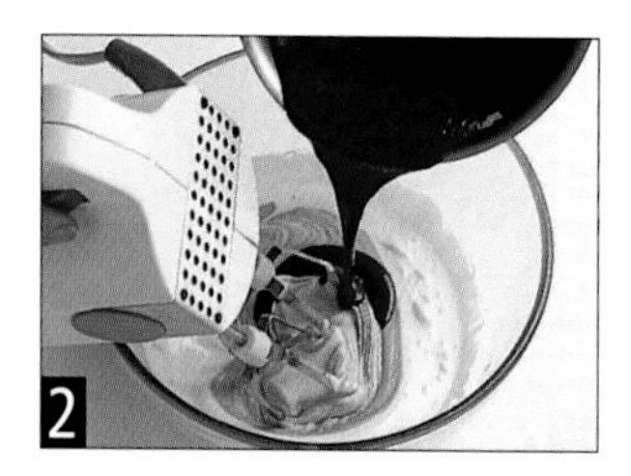

1 Engrase y forre la base de un molde desmontable de 23 cm de diámetro. Trocee el chocolate y póngalo en un cazo con la mantequilla. Caliéntelo a fuego lento, removiendo, hasta que se funda y se mezcle con la mantequilla.

2 Introduzca en un cuenco 100 g de azúcar lustre con las yemas de huevo, y bata hasta obtener una crema pálida. Incorpore el chocolate fundido, batiendo bien.

3 Tamice el crémor tártaro y la harina e incorpórelo a la mezcla de chocolate, así como la almendra molida y el extracto.

4 Bata las claras a punto de nieve. Agregue el resto del azúcar lustre y bata unos 2 minutos a mano o unos 45-60 segundos con varillas eléctricas, hasta obtener un merengue espeso y satinado. Añada la mezcla a la pasta de chocolate y viértala en el molde. Cueza el pastel en el horno precalentado a 190 °C unos 40 minutos o hasta que esté esponjoso al tacto. Déjelo enfriar.

5 Caliente los ingredientes para la cobertura en un bol sobre un cazo con agua caliente. Retírelo del fuego y bata 2 minutos. Déjelo enfriar durante 30 minutos. Coloque el pastel en una fuente y recúbralo con la cobertura. Espolvoree con las almendras fileteadas y dibuje unas líneas con chocolate fundido. Déjelo reposar 2 horas antes de servirlo.

pastel de chocolate

para 15 personas

350 g de harina de fuerza tamizada
3 cucharadas de cacao tamizado
225 g de azúcar lustre
225 g de margarina ablandada
4 huevos batidos
4 cucharadas de leche
50 g de gotas de chocolate con leche, 50 g de gotas de chocolate negro y 50 g de gotas de blanco
azúcar glasé, para espolvorear

VARIACIÓN

Para un acabado atractivo, recorte unas tiras delgadas de papel y colóquelas formando una rejilla sobre el pastel. Espolvoree con azúcar glasé y retire las tiras de papel.

1 Engrase con un poquito de mantequilla o margarina un molde de 33 x 24 x 5 cm.

2 Introduzca en un cuenco grande todos los ingredientes excepto las gotas de chocolate y el azúcar glasé, y bátalos hasta obtener una pasta.

3 Añada las gotas de los tres tipos de chocolate.

4 Extienda la pasta en el molde y alise la superficie. Cuézalo en el horno precalentado a 180 °C entre 30 y 40 minutos, hasta que suba y esté esponjoso al tacto. Déjelo enfriar en el molde.

5 Espolvoréelo con azúcar glasé, y córtelo en porciones cuadradas.

pastel de chocolate y piña

para 9 personas

150 g de margarina baja en calorías
125 g de azúcar lustre
100 g de harina de fuerza tamizada
3 cucharadas de cacao en polvo tamizado
1½ cucharadita de levadura en polvo
2 huevos
225 g de piña de lata al natural troceada
125 ml de yogur natural desnatado
1 cucharada de azúcar glasé
chocolate rallado, para decorar

SUGERENCIA

Puede conservar el pastel, sin decorar, en un recipiente hermético, durante 3 días. Una vez decorado, puede guardarlo en la nevera un máximo de 2 días.

1 Engrase ligeramente un molde cuadrado de 20 cm de lado.

2 Introduzca en un cuenco grande la margarina, el azúcar lustre, la harina, el cacao, la levadura y los huevos. Bátalo con una cuchara de madera o con unas varillas eléctricas hasta obtener una pasta suave.

3 Vierta la pasta en el molde y alise la superficie. Cueza el pastel en el horno precalentado a 190 °C durante 20-25 minutos, o hasta que esté esponjoso al tacto. Deje que se entibie ligeramente en el molde, y después colóquelo sobre una rejilla metálica para que acabe de enfriarse.

4 Escurra la piña, pique los trozos y vuélvala a escurrir. Reserve un poco de piña para decorar y añada el resto al yogur. Endúlcelo al gusto con azúcar glasé.

5 Extienda uniformemente la mezcla de yogur y piña sobre la superficie del pastel, y decórelo con los trozos de piña que había reservado previamente. Espolvoree el chocolate rallado por encima.

2

3

4

pastel de chocolate familiar

para 8 personas

125 g de margarina ablandada
125 g de azúcar lustre
2 huevos
1 cucharada de melaza de caña
125 g de harina de fuerza tamizada
2 cucharadas de cacao en polvo tamizado

RELLENO Y COBERTURA
50 g de azúcar glasé tamizado
25 g de mantequilla
100 g de chocolate blanco o con leche, y un poco más derretido (opcional)

1 Engrase ligeramente 2 moldes llanos de 18 cm de diámetro.

2 Bata todos los ingredientes del bizcocho en un cuenco grande, hasta obtener una pasta suave.

3 Reparta la pasta entre los moldes y alise la superficie. Cueza los bizcochos en el horno precalentado a 190 °C durante 20 minutos, o hasta que estén esponjosos al tacto. Deje que se entibien unos minutos en el molde y, después, déjelos enfriar del todo sobre una rejilla metálica.

4 Para preparar el relleno, bata en un bol, el azúcar glasé con la mantequilla hasta obtener una crema ligera y esponjosa. Derrita el chocolate, incorpore la mitad al bol y bata. Unte la superficie de uno de los bizcochos con el relleno y coloque el otro bizcocho encima.

5 Extienda el resto del chocolate fundido por encima. Con una manga pastelera, dibuje unos círculos con chocolate de otro color, y luego trace los vértices haciendo surcos en el chocolate con un palillo, desde el centro hacia fuera, y al revés. Deje que el pastel se enfríe antes de servirlo.

2

3

4

pastel de chocolate y naranja

para 8 personas

175 g de azúcar lustre
175 g de mantequilla o margarina
3 huevos batidos
175 g de harina de fuerza tamizada
2 cucharadas de cacao en polvo tamizado
2 cucharadas de leche
3 cucharadas de zumo de naranja
la ralladura de ½ naranja

GLASEADO

175 g de azúcar glasé
2 cucharadas de zumo de naranja
un poco de chocolate fundido

VARIACIÓN

Añada 2 cucharadas de ron o brandy a la pasta de chocolate en lugar de leche. El pastel también queda bien sustituyendo la naranja por zumo y ralladura de limón.

1 Engrase ligeramente un molde redondo de 20 cm de diámetro.

2 Bata el azúcar con la mantequilla hasta obtener una crema ligera y esponjosa. Incorpore el huevo poco a poco, batiendo bien tras cada adición. Añada también la harina.

2

3 Divida la mezcla en dos partes. Añada el cacao en polvo y la leche a una de ellas, y mezcle bien. Incorpore el zumo y la ralladura de naranja a la otra parte.

3

4 Vierta varias cucharadas de las dos pastas en el molde y remueva con un pincho de cocina para crear un efecto multicolor. Cueza el pastel en el horno precalentado a unos 190 °C durante 25 minutos, o hasta que esté esponjoso al tacto.

4

5 Deje que el pastel se entibie durante unos minutos en el molde, y después páselo a una rejilla metálica para que acabe de enfriarse.

6 Para el glaseado, tamice el azúcar glasé en un bol y mézclelo con suficiente zumo de naranja para formar una pasta suave. Extienda el glaseado sobre el pastel y deje que cuaje antes de servirlo.

pastel de capas de moca

para 8 personas

200 g de harina de fuerza

¼ de cucharadita de levadura

4 cucharadas de cacao en polvo

100 g de azúcar lustre

2 huevos

2 cucharadas de melaza de caña

150 ml de aceite de girasol

150 ml de leche

RELLENO

1 cucharadita de café instantáneo

1 cucharada de agua hirviendo

300 m de nata espesa

25 g de azúcar glasé

PARA DECORAR

50 g de virutas finas de chocolate

canutillos de chocolate (pág. 208)

azúcar lustre, para espolvorear

1 Engrase ligeramente tres moldes de 18 cm de diámetro.

2 Tamice la harina, la levadura y el cacao en polvo en un bol grande. Añada el azúcar. Haga un hoyo en el centro e incorpore los huevos, la melaza, el aceite y la leche. Bata con una cuchara de madera para mezclarlo todo bien, hasta obtener una pasta suave. Reparta la pasta entre los moldes preparados.

3 Cueza los bizcochos en el horno precalentado a 180 °C durante 35-40 minutos, o hasta que estén esponjosos al tacto. Deje que se entibien 5 minutos en el molde y después colóquelos sobre una rejilla metálica para que se acaben de enfriar.

4 Disuelva el café instantáneo en el agua hirviendo, póngalo en un bol y mézclelo con la nata y el azúcar glasé. Bátalo hasta que la nata se endurezca un poco. Utilice la mitad de la crema para unir los tres bizcochos, formando capas. Extienda el resto de la crema sobre la superficie y los bordes. Adhiera las virutas alrededor del pastel, presionando ligeramente.

5 Coloque el pastel en una fuente, y adorne la parte superior con canutillos de chocolate. Disponga unas tiras finas de papel vegetal por encima. Espolvoree con el azúcar glasé y, con cuidado, retire el papel.

bizcocho de chocolate americano

para 6 personas

100 g de chocolate negro
250 g de harina de fuerza
1 cucharadita de bicarbonato sódico
225 g de mantequilla
400 g de azúcar mascabado
1 cucharadita de esencia de vainilla
3 huevos
125 ml de suero de leche
225 ml de agua hirviendo

COBERTURA

300 g de azúcar lustre
2 claras de huevo
1 cucharada de zumo de limón
3 cucharadas de zumo de naranja
piel de naranja confitada

SUGERENCIA

Puede utilizar mantequilla con vainilla para la cobertura: bata 175 g de mantequilla hasta que se ablande, añada 350 g de azúcar glasé tamizado, y mézclelo. Añada esencia de vainilla. También puede decorar el pastel con nata montada.

1 Engrase ligeramente dos moldes llanos de 20 cm de diámetro y forre la base con papel vegetal. Derrita el chocolate en un cazo. Tamice la harina junto con el bicarbonato.

2 En un cuenco, bata la mantequilla con el azúcar hasta obtener una crema pálida y esponjosa. Agregue la esencia de vainilla y los huevos, de uno en uno, batiendo bien tras cada adición. Añada un poco de harina si la mezcla empieza a cuajar.

3 Incorpore el chocolate fundido a la crema y bata bien. Añada, gradualmente, el resto de la harina, y, por último, el suero de leche y el agua caliente.

4 Reparta la pasta entre los moldes y alise la superficie. Cueza los bizcochos en el horno precalentado a 190 °C unos 30 minutos, hasta que estén esponjosos. Deje que se entibien 5 minutos en el molde, y después colóquelos sobre una rejilla metálica para que se acaben de enfriar.

5 Vierta los ingredientes de la cobertura en un bol grande colocado sobre un cazo con agua hirviendo a fuego suave. Bátalo con unas varillas eléctricas, hasta obtener un merengue. Retírelo del fuego y siga batiendo hasta que se enfríe.

6 Una los dos bizcochos con un poco de crema y cubra la parte superior y los lados del pastel con el resto, formando remolinos. Decore con la piel de naranja confitada.

4

5

6

pan de chocolate

para 4 personas

175 g de mantequilla ablandada

100 g de azúcar mascabado

4 huevos ligeramente batidos

225 g de gotas de chocolate negro

100 g de pasas

50 g de nueces picadas

la ralladura fina de 1 naranja

225 g de harina de fuerza

1 Engrase ligeramente un molde rectangular de 1 litro de capacidad y forre la base con papel vegetal.

2 En un bol, bata el azúcar con la mantequilla hasta obtener una crema ligera y esponjosa.

3 Incorpore el huevo poco a poco, batiendo bien tras cada adición. Si la pasta empieza a cuajar, añada 1-2 cucharadas de harina.

4 Añada las gotas de chocolate, las pasas, las nueces y la ralladura de naranja. Tamice la harina e incorpórela.

5 Vierta la pasta en el molde ya preparado y, con el dorso de una cuchara, ahueque la parte central.

6 Cueza el pastel en el horno precalentado a 170 °C durante 1 hora, o hasta que al insertar un pincho de cocina en el centro, éste salga limpio.

7 Deje que el pastel se entibie en el molde 5 minutos, y después colóquelo sobre una rejilla metálica para que se acabe de enfriar.

8 Sirva el pan de chocolate cortado en rebanadas finas.

bizcocho de capas de chocolate

para 10 personas

7 huevos
200 g de azúcar lustre
150 g de harina
50 g de cacao en polvo
4 cucharadas de mantequilla fundida

RELLENO
200 g de chocolate negro
125 g de mantequilla
4 cucharadas de azúcar glasé

PARA DECORAR
75 g de almendras fileteadas tostadas, ligeramente troceadas
virutas de chocolate rápidas (véase pág. 7) o chocolate rallado

1 Engrase un molde rectangular y hondo de 23 cm, y forre la base con papel vegetal.

2 En un bol, bata los huevos y el azúcar lustre con las varillas eléctricas, durante 10 minutos o hasta obtener una crema muy ligera y espumosa, de manera que las varillas suelten, al levantarlas, un hilillo de pasta que tarde unos segundos en caer.

3 Tamice la harina con el cacao en polvo e incorpore la mitad a la crema de huevo. Añada la mantequilla y el resto de la harina con cacao. Vierta la pasta en el molde y cuézala en el horno precalentado a 180 °C durante 30-35 minutos, hasta que el bizcocho esté esponjoso. Déjelo enfriar un poco, sáquelo del molde y acábelo de enfriar sobre una rejilla metálica. Lave y seque el molde e introduzca de nuevo el bizcocho.

4 Para el relleno, derrita el chocolate con la mantequilla. Retírelo del fuego y añada el azúcar glasé. Una vez frío, bátalo hasta obtener una consistencia adecuada para untar el pastel.

5 Corte el pastel por la mitad a lo largo, y después cada parte en 3 capas. Una las capas con ¾ partes del relleno. Extienda el resto del relleno por el exterior del pastel y dibuje ondas en la superficie. Presione las almendras en los lados. Decórelo con virutas o con chocolate rallado.

pastel de chocolate de la pasión

para 6 personas

5 huevos
150 g de azúcar lustre
150 g de harina blanca
40 g de cacao en polvo
175 g de zanahoria rallada fina y exprimida hasta que quede seca
50 g de avellanas picadas
2 cucharadas de aceite de girasol
350 g de queso fresco semidesnatado
175 g de azúcar glasé
175 g de chocolate negro o con leche fundido

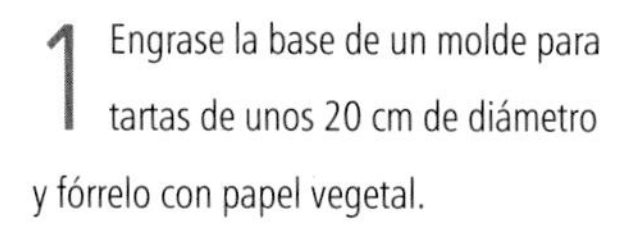

1 Engrase la base de un molde para tartas de unos 20 cm de diámetro y fórrelo con papel vegetal.

2 Coloque los huevos y el azúcar en un cuenco grande, póngalo sobre una cazuela con agua hirviendo y bata la mezcla hasta que haya adquirido consistencia.

3 Retire el cuenco, esparza la harina y el cacao, y mezcle. Incorpore la zanahoria, las avellanas y el aceite.

4 Vierta la pasta en el molde y cuézala en el horno precalentado a 190 °C durante 45 minutos. Dele la vuelta al molde y deje enfriar del todo el bizcocho sobre una rejilla.

5 Bata el queso fresco con el azúcar glasé hasta obtener una crema. Incorpore el chocolate fundido y bata. Corte el bizcocho formando dos capas y rellénelo con la mitad de la mezcla de chocolate. Cubra el pastel con el resto de la crema, dibujando remolinos con un cuchillo. Puede enfriarlo en la nevera o servirlo inmediatamente.

2

3

5

pastel de chocolate y yogur

para 8 personas

150 ml de aceite vegetal
150 ml de yogur natural
175 g de azúcar mascabado claro
3 huevos batidos
100 g de harina de fuerza integral
125 g de harina de fuerza tamizada
2 cucharadas de cacao en polvo
1 cucharadita de bicarbonato sódico
50 g de chocolate negro fundido

RELLENO Y COBERTURA
150 ml de yogur natural
150 ml de nata espesa
225 g de fruta fresca blanda, como fresas o frambuesas

1 Engrase un molde hondo de unos 23 cm de diámetro y forre la base con papel vegetal.

2 Disponga el aceite, el yogur, el azúcar y los huevos batidos en un cuenco grande y bata todos estos ingredientes hasta que queden bien mezclados. Tamice juntos, el cacao en polvo, las harinas y el bicarbonato sódico e incorpórelo, mezclando bien.

A continuación, incorpore el chocolate fundido y bata.

3 Vierta la pasta en el molde y cueza el pastel en el horno precalentado a 180 °C durante unos 45-50 minutos, hasta que al insertar un pincho de cocina en el centro, éste salga limpio. Deje que se entibie unos 5 minutos en el molde y después colóquelo sobre una rejilla metálica para que se acabe de enfriar Cuando esté frío, corte el pastel formando 3 capas.

4 Para preparar el relleno, ponga el yogur y la nata espesa en un cuenco y bata bien hasta montarlo un poco.

5 Coloque una capa de pastel sobre una fuente y extienda un poco de relleno por encima. Esparza un poco de fruta sobre el relleno (si es necesario,

córtela en láminas). Haga lo mismo con la siguiente capa. Ponga la capa final de pastel y cúbrala con el resto de la nata y con un poco más de fruta por encima. Corte el pastel en porciones.

vacherin de chocolate y frambuesa

para 10 personas

3 claras de huevo
175 g de azúcar lustre
1 cucharadita de harina de maíz
25 g de chocolate negro rallado
RELLENO
175 g de chocolate negro
450 ml de nata espesa, montada
350 g de frambuesas frescas
un poco de chocolate fundido, para decorar

SUGERENCIA

Cuando bata las claras de huevo, asegúrese de que el cuenco esté impecable y no tenga ni rastro de grasa, pues de lo contrario las claras no se montarán bien.

1 Dibuje 3 rectángulos de unos 10 x 25 cm sobre sendas hojas de papel vegetal, y colóquelas boca abajo en 2 bandejas para el horno.

2 En un bol, bata las claras a punto de nieve. Añada poco a poco la mitad del azúcar, y siga batiendo hasta obtener un merengue muy duro y satinado.

3 Con una cuchara metálica o una espátula, incorpore con cuidado el resto del azúcar, la harina de maíz y el chocolate rallado.

4 Introduzca la pasta en una manga pastelera equipada con una boquilla lisa de 1 cm, y dibuje unas líneas para rellenar los rectángulos.

5 Cueza los merengues en el horno precalentado a 140 °C durante 1½ horas, intercambiando las bandejas a media cocción. Sin abrir la puerta, del horno, apáguelo y deje que se enfríen dentro los merengues. Cuando estén fríos, sáquelos y retire el papel vegetal.

6 Para hacer el relleno, derrita el chocolate y extiéndalo sobre 2 de las capas de merengue. Deje que cuaje.

7 Coloque un merengue con chocolate sobre una fuente y ponga un tercio de la nata y las frambuesas. Con cuidado, coloque la segunda capa de merengue con chocolate encima y cúbrala con otro tercio de la nata y las frambuesas.

8 Coloque la capa de merengue sin chocolate encima y decórela con el resto de la nata y las frambuesas. Rocíe el *vacherin* con un poco de chocolate fundido.

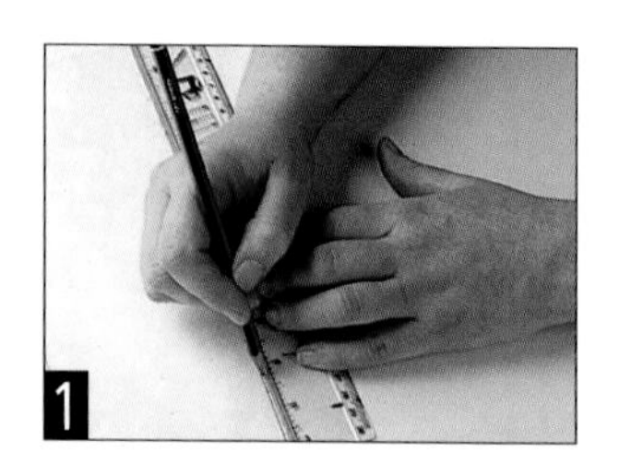
1

4

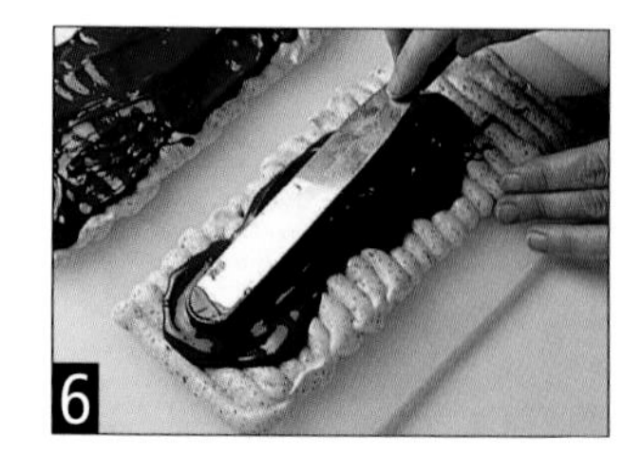
6

sacher

para 10 personas

175 g de chocolate negro
150 g de mantequilla sin sal
150 g de azúcar lustre
6 huevos, con las yemas separadas
150 g de harina
RELLENO Y COBERTURA
175 g de chocolate negro
5 cucharadas de café negro fuerte
175 g de azúcar glasé
6 cucharadas de mermelada de albaricoque de buena calidad
50 g de chocolate negro fundido

SUGERENCIA

El pastel resulta delicioso acompañado con nata montada y frambuesas frescas, o con una salsa de frambuesa.

1 Engrase un molde de 23 cm de diámetro y forre la base. Funda el chocolate. Bata la mantequilla con 75 g de azúcar hasta obtener una crema pálida y esponjosa. Añada las yemas de huevo y bata bien. Sin dejar de batir, vierta despacio el chocolate. Tamice la harina y añádala. Bata aparte las claras a punto de nieve. Incorpore el resto del azúcar y siga batiendo unos 2 minutos a mano, o 45-60 segundos con las varillas eléctricas, hasta que el merengue esté satinado. Añada a la pasta de chocolate la mitad del merengue, y después la otra mitad.

2 Vierta la pasta en el molde y alise la superficie. Cueza el bizcocho en el horno precalentado a 150 °C durante 1-1½ horas, o hasta que al insertar un pincho de cocina en el centro, éste salga limpio. Déjelo entibiar 5 minutos en el molde, y después colóquelo sobre una rejilla para que se acabe de enfriar. Córtelo en dos capas.

3 Para preparar la cobertura, derrita el chocolate y mézclelo bien con el café. Tamice el azúcar en un bol. Añádalo a la mezcla de chocolate y café, y remueva hasta que se espese. Caliente la mermelada, extiéndala sobre la mitad inferior del pastel y coloque la otra mitad encima. Invierta el pastel sobre una rejilla. Recubra la parte superior y los lados con la crema. Déjelo reposar 5 minutos, para que el exceso de cobertura caiga a través de la rejilla. Déjelo reposar un mínimo de 2 horas en una fuente.

4 Introduzca el chocolate fundido en una manga pastelera pequeña y escriba la palabra *Sachertorte* o *Sacher* sobre el pastel. Deje que las letras cuajen antes de servirlo.

Sachertorte

pastel de chocolate y dulces de malvavisco

para 6 personas

85 g de mantequilla sin sal y una cucharada más para engrasar
225 g de azúcar lustre
½ cucharadita de esencia de vainilla
2 huevos ligeramente batidos
85 g de chocolate negro troceado
150 ml de suero de leche
175 g de harina de fuerza
½ cucharadita de bicarbonato sódico
una pizca de sal
55 g de chocolate con leche rallado, para decorar
COBERTURA
175 g de dulces de malvavisco blancos
1 cucharadita de leche
2 claras de huevo
2 cucharaditas de azúcar lustre

1 Engrase un recipiente para pudín de unos 850 ml con mantequilla. Bata la mantequilla con el azúcar y la vainilla hasta obtener una crema esponjosa de color pálido y añada el huevo poco a poco.

2 Funda el chocolate negro en un cuenco al baño María. Una vez fundido, incorpore el suero de leche poco a poco hasta obtener una mezcla homogénea. Aparte el cazo del fuego y deje que se enfríe un poco.

2

3 Tamice la harina, el bicarbonato y la sal en un cuenco aparte.

4 Añada despacio, y alternándolas, la mezcla de chocolate y la de harina a la crema de mantequilla. Vierta la pasta en el recipiente engrasado y alise la superficie.

4

5 Cueza el pastel en el horno precalentado a 160 °C durante 50 minutos, o hasta que al insertar un pincho de cocina en el centro, éste salga limpio. Coloque el pastel sobre una rejilla metálica para que se enfríe.

6 Mientras tanto, prepare la cobertura. Caliente a fuego lento los dulces de malvavisco y la leche en un cazo pequeño hasta que se fundan. Aparte el cazo del fuego y deje que la mezcla se enfríe.

6

7 Bata las claras a punto de nieve, añada el azúcar y siga batiendo hasta obtener un merengue firme. Mézclelo con los dulces de malvavisco fundidos y déjelo reposar 10 minutos.

8 Cuando el bizcocho esté frío, cúbralo por completo con la crema de dulces de malvavisco. A continuación, espolvoréelo con el chocolate con leche rallado.

pastel de chocolate en bandeja

para 10 personas

225 g de mantequilla
100 g de chocolate negro rallado
150 ml de agua
300 g de harina blanca
2 cucharaditas de levadura en polvo
275 g de azúcar moreno
150 g de nata agria
2 huevos batidos

COBERTURA
200 g de chocolate negro
6 cucharadas de agua
3 cucharadas de nata líquida
15 g de mantequilla fría

1 Engrase una bandeja de repostería de 30 x 20 cm y forre la base con papel vegetal. Funda la mantequilla y el chocolate con el agua en un cazo, a fuego lento, removiendo a menudo.

2 Tamice la harina y la levadura en polvo en un cuenco y añada el azúcar. Vierta la mezcla de chocolate caliente encima.

3 Bátalo bien hasta obtener una pasta homogénea. Incorpore la nata agria y a continuación los huevos batidos.

4 Vierta la mezcla obtenida en la bandeja engrasada y cueza el pastel en el horno precalentado a 190 °C durante 40-45 minutos.

5 Déjelo enfriar en la misma bandeja antes de colocarlo sobre una rejilla metálica para que se enfríe por completo.

6 Para preparar la cobertura, funda en un cazo el chocolate con el agua, a fuego mínimo, incorpore la nata líquida y aparte el cazo del fuego. Añada la mantequilla fría y vierta la cobertura sobre el pastel. Con una espátula, extiéndala uniformemente.

SUGERENCIA

Para bañar el pastel con la cobertura, déjelo sobre la rejilla, pero coloque debajo de ésta una bandeja para recoger los restos que puedan caer. Cójalos con una cuchara y siga cubriendo el pastel.

pastel con mousse de naranja

para 12 personas

175 g de mantequilla
175 g de azúcar lustre
4 huevos ligeramente batidos
1 cucharada de cacao en polvo
200 g de harina de fuerza
50 g de chocolate con sabor a naranja, fundido

MOUSSE DE NARANJA

2 huevos, con las yemas separadas
4 cucharadas de azúcar lustre
200 ml de zumo de naranja
2 cucharaditas de gelatina
3 cucharadas de agua
300 ml de nata espesa
rodajas de naranja peladas, para decorar

1 Engrase un molde de 20 cm de diámetro y forre la base con papel vegetal. En un bol, bata la mantequilla con el azúcar hasta obtener una crema ligera y esponjosa. Incorpore el huevo poco a poco, batiendo bien tras cada adición. Tamice la harina con el cacao en polvo y añádalo a la pasta. Incorpore el chocolate.

2 Vierta la pasta en el molde y alise la superficie. Cueza el bizcocho en el horno precalentado a 180 °C unos 40 minutos, hasta que esté esponjoso al tacto. Deje que se entibie 5 minutos en el molde, y después colóquelo sobre una rejilla metálica para que se acabe de enfriar. Una vez frío, córtelo en 2 capas.

3 Para la mousse, bata las yemas con el azúcar y añada el zumo de naranja. En un bol, mezcle la gelatina con el agua. Ponga el bol sobre un cazo con agua caliente y remueva hasta que la gelatina se haya disuelto. Incorpórela a la crema de naranja.

4 Monte la nata, reserve un poco para decorar y añada el resto a la crema. Bata las claras a punto de nieve e incorpórelas. Guarde la mousse en un lugar fresco hasta que empiece a cuajar, removiendo de vez en cuando.

5 Coloque la base del pastel en el molde. Extienda la mousse por encima y tápelo con la otra capa. Guárdelo en la nevera hasta que cuaje. Sírvalo en una fuente, decorado con nata montada y naranja.

brazo de gitano de chocolate

para 6 personas

150 g de chocolate negro

2 cucharadas de agua

6 huevos

175 g de azúcar lustre

3 cucharadas de harina

1 cucharada de cacao en polvo

RELLENO

300 ml de nata espesa

75 g de fresas cortadas en láminas

PARA DECORAR

azúcar glasé

hojas de chocolate (véase pág. 7)

fresas frescas, para servir

1 Forre un molde rectangular de unos 38 x 25 cm. Derrita el chocolate con el agua, removiendo. Deje que se entibie.

2 En un bol, bata los huevos con el azúcar durante10 minutos, hasta que la mezcla adquiera un tono pálido. Agregue el chocolate despacio. Tamice la harina con el cacao en polvo e incorpórelo. Vierta la pasta en el molde y alise la superficie.

3 Cueza el bizcocho en el horno precalentado a 200 ºC durante 12 minutos. Espolvoree una hoja de papel vegetal con azúcar glasé, colóquela sobre el bizcocho ya desmoldado y enróllelo con el papel en su interior. Póngalo sobre una rejilla metálica, cúbralo con un paño de cocina húmedo y déjelo enfriar.

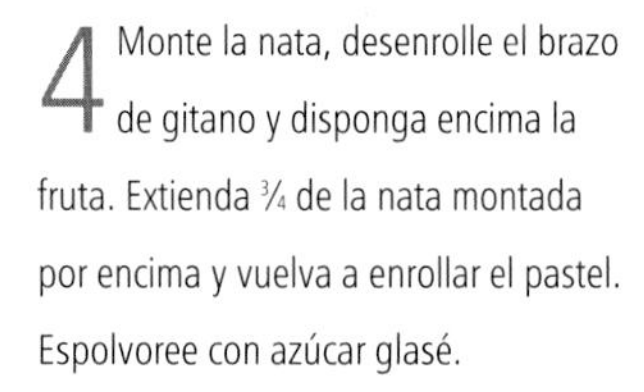

4 Monte la nata, desenrolle el brazo de gitano y disponga encima la fruta. Extienda ¾ de la nata montada por encima y vuelva a enrollar el pastel. Espolvoree con azúcar glasé.

5 Coloque el brazo de gitano sobre una fuente. Con una manga pastelera, extienda la nata a lo largo de la parte central y decore con hojas de chocolate. Sirva el brazo de gitano acompañado con fresas frescas.

rollo de chocolate y coco

para 8 personas

3 huevos

75 g de azúcar lustre

5½ cucharadas de harina de fuerza

1 cucharada de coco cremoso, ablandado con 1 cucharada de agua hirviendo

25 g de coco rallado

6 cucharadas de confitura de frambuesa de buena calidad

COBERTURA DE CHOCOLATE

200 g de chocolate negro

70 g de mantequilla

2 cucharadas de melaza de caña

SALSA DE FRAMBUESA

225 g de frambuesas

2 cucharadas de agua

4 cucharadas de azúcar glasé

1 Engrase un molde rectangular de 23 x 30 x 9 cm y fórrelo con papel vegetal. Con las varillas eléctricas, bata en un cuenco grande los huevos y el azúcar lustre, durante 10 minutos o hasta obtener una crema muy ligera y espumosa.

2 Tamice la harina e incorpórela en la crema con una espátula o una cuchara metálica. Añada el coco cremoso y el coco rallado. Vierta la pasta en el molde y cueza el bizcocho en el horno precalentado a 200 °C unos 10-12 minutos, hasta que esté esponjoso al tacto.

3 Espolvoree una hoja de papel vegetal con un poco de azúcar glasé y colóquela sobre un paño de cocina humedecido. Ponga el bizcocho encima y, con cuidado, retire el papel con el que había forrado el molde. Extienda la confitura sobre el bizcocho y enróllelo a lo largo, ayudándose con el paño. Colóquelo, con el doblez hacia abajo, sobre una rejilla, y deje que se enfríe por completo.

4 Para preparar la cobertura, derrita el chocolate con la mantequilla, removiendo. Añada la melaza y déjela enfriar durante 5 minutos. Extiéndala por encima del brazo de gitano y deje que cuaje.

5 Para la salsa de frambuesa, ponga la fruta en la batidora, con el agua y el azúcar, y haga un puré. Tamícelo para eliminar las semillas. Corte el pastel en rodajas y sírvalas sobre unas cucharadas de salsa.

rollo de bizcocho de chocolate y frutos secos

para 8 personas

150 g de chocolate negro troceado
3 cucharadas de agua
175 g de azúcar lustre
5 huevos, las yemas separadas de la claras
25 g de pasas picadas
25 g de pacanas picadas
una pizca de sal
300 ml de nata espesa, ligeramente montada
azúcar glasé para espolvorear

1 Engrase una bandeja de unos 30 x 20 cm, fórrela con papel vegetal y engráselo también.

2 Disponga el chocolate y el agua en un cazo pequeño y, a fuego lento, remueva hasta que el chocolate se funda. Déjelo enfriar.

3 En un cuenco grande, bata las yemas y el azúcar con las varillas eléctricas durante 2-3 minutos, hasta obtener una mezcla espesa de un tono pálido.

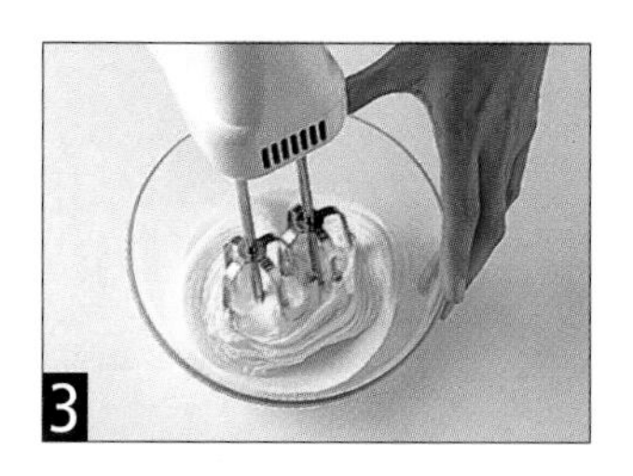
3

4 Incorpore el chocolate, las pasas y las pacanas.

4

5 Bata las claras con la sal en un cuenco aparte. Incorpore una cuarta parte de las claras a la mezcla de chocolate, y a continuación el resto, removiendo suave pero rápidamente para que la pasta quede esponjosa.

5

6 Vierta la pasta en la bandeja engrasada y cuézala en el horno precalentado a 180 °C durante unos 25 minutos, hasta que el bizcocho haya subido y sea firme al tacto. Deje que se enfríe un poco antes de cubrirlo con una hoja de papel vegetal y un paño de cocina humedecido. Déjelo enfriar completamente.

7 Espolvoree con azúcar glasé otra hoja de papel vegetal y coloque el bizcocho encima. Retire el papel con el que había forrado la bandeja.

8 Extienda la nata ligeramente montada sobre el bizcocho. Empiece a enrollarlo por el lado más estrecho, hacia fuera, ayudándose con el papel. Recorte las puntas del rollo obtenido para que tenga mejor aspecto, y colóquelo en una fuente. Sírvalo frío de la nevera, espolvoreado con un poco de azúcar glasé.

pastel de almendra y avellana

para 8 personas

4 huevos
100 g de azúcar lustre
50 g de almendras molidas
50 g de avellanas molidas
5 cucharadas de harina
50 g de almendras fileteadas
RELLENO
100 g de chocolate negro
15 g de mantequilla
300 ml de nata espesa
azúcar glasé, para espolvorear

1 Engrase dos moldes de 18 cm de diámetro y forre la base de cada uno con papel vegetal.

2 En un cuenco grande y con las varillas eléctricas, bata los huevos y el azúcar lustre unos 10 minutos, hasta obtener una crema muy ligera y espumosa.

3 Añada los frutos secos molidos. Tamice la harina e incorpórela a la pasta. Viértala en los moldes preparados.

3

4 Espolvoree láminas de almendra sobre uno de los pasteles, y cuézalos en el horno precalentado a 190 °C unos 15-20 minutos, hasta que queden esponjosos al tacto.

4

5 Deje que los pasteles se entibien en el molde, y después sáquelos y colóquelos sobre una rejilla metálica para que se acaben de enfriar.

6 Para preparar el relleno, derrita el chocolate, retírelo del fuego y añada la mantequilla. Deje que se entibie. Monte la nata e incorpórela al chocolate, mezclándolo todo bien.

7 Coloque el bizcocho sin almendra sobre una fuente y cúbralo con el relleno. Déjelo cuajar un poco y disponga el otro bizcocho encima. Guarde el pastel en la nevera durante 1 hora. Espolvoréelo con un poco de azúcar glasé antes de servirlo a la mesa.

7

pastel de merengue con chocolate

para 8 personas

6 claras de huevo
140 g de azúcar lustre
175 g de azúcar glasé
2 cucharadas de harina de maíz

RELLENO
225 ml nata espesa
140 g de chocolate negro troceado
4 cucharaditas de ron oscuro

PARA DECORAR
150 ml de nata espesa
4 cucharaditas de azúcar lustre
1-2 cucharadas de cacao en polvo para espolvorear

1 En 5 hojas de papel vegetal, dibuje sendos círculos de 18 cm de diámetro. Deles la vuelta y forre con ellas 5 placas para el horno previamente engrasadas.

2 Bata las claras a punto de nieve. Mezcle los dos tipos de azúcar y la harina de maíz, e incorpórelo poco a poco a las claras, batiendo hasta obtener una mezcla firme.

3 A continuación, introduzca el merengue en una manga pastelera de boquilla redonda y, empezando por el centro, dibuje 5 espirales sobre el papel vegetal hasta llegar al diámetro marcado.

3

4 Cueza los merengues en el horno precalentado, a temperatura mínima y con la puerta ligeramente entreabierta, durante 6 horas o toda la noche.

5 Una vez cocidos, desprenda el papel vegetal y colóquelos sobre rejillas metálicas para que se enfríen.

6 Para el relleno, vierta la nata en un cazo y caliéntela a fuego lento. Añada el chocolate y remueva hasta fundirlo. Apártelo del fuego y bátalo. Incorpore el ron, tape el recipiente con film transparente y déjelo en la nevera mientras se cuecen los merengues.

6

7 Para montar el pastel, bata el relleno con las varillas eléctricas hasta obtener una mezcla espesa y homogénea. Coloque tres merengues sobre una tabla y cúbralos con el relleno. Apile las tres capas de merengue y cúbralas con otro sin crema. Desmigue la quinta capa de merengue.

7

8 Para decorar el pastel, monte la nata con el azúcar y extiéndala con cuidado por encima de la tarta. Esparza las migas de merengue y espolvoree el centro de la tarta con cacao en polvo. Sírvala al cabo de 1-2 horas.

pastel de chocolate y nueces

para 8 personas

4 huevos
125 g de azúcar lustre
125 g de harina
1 cucharada de cacao en polvo
25 g de mantequilla derretida
75 g de chocolate negro fundido
150 g de nueces picadas

COBERTURA
75 g de chocolate negro
125 g de mantequilla
200 g de azúcar glasé
2 cucharadas de leche
nueces partidas por la mitad, para decorar

1 Engrase un molde hondo de unos 18 cm de diámetro y forre la base con papel vegetal. En un cuenco grande, bata los huevos y el azúcar lustre, con las varillas eléctricas, unos 10 minutos o hasta obtener una crema muy ligera y espumosa.

2 Tamice la harina con el cacao en polvo e incorpórelo a la crema. Añada la mantequilla, el chocolate y las nueces. Vierta la pasta en el molde y cueza el bizcocho en el horno precalentado a 160 °C durante unos 30-35 minutos, hasta que quede bien esponjoso al tacto.

3 Déjelo entibiar unos 5 minutos en el molde, y después que se acabe de enfriar sobre una rejilla metálica. Cuando esté frío, corte el pastel formando 2 capas.

4 Para la cobertura, derrita el chocolate negro y deje que se entibie. En un cuenco, bata la mantequilla con el azúcar glasé y la leche hasta obtener una crema suave y esponjosa. Añada el chocolate fundido.

5 Una las 2 capas de pastel con una parte de la crema y colóquelo sobre una fuente. Con la ayuda de una espátula, recubra la superficie con la crema restante, formando un efecto de pequeños remolinos a medida que trabaja. Sirva el pastel decorado con las nueces.

5

2

5

dobos

para 8 personas

3 huevos
100 g de azúcar lustre
1 cucharadita de esencia de vainilla
100 g de harina

RELLENO
175 g de chocolate negro
175 g de mantequilla
2 cucharadas de leche
350 g de azúcar glasé

CARAMELO
100 g de azúcar granulado
4 cucharadas de agua

1 Dibuje 4 círculos de 18 cm de diámetro en hojas de papel vegetal. Deles la vuelta y coloque 2 en sendas bandejas para el horno.

2 Bata los huevos con el azúcar lustre durante 10 minutos, hasta obtener una crema ligera y espumosa. Añada la esencia de vainilla. Tamice la harina e incorpórela a la crema.

3 Extienda una cuarta parte de la crema sobre un redondel. Cuézala en el horno precalentado a 200 ºC unos 5-8 minutos. Déjela enfriar sobre la rejilla. Repita con el resto de la pasta.

4 Derrita el chocolate y deje que se entibie. Bata la mantequilla, la leche y el azúcar glasé hasta obtener una crema esponjosa de un tono pálido. Añada el chocolate.

5 Ponga el azúcar y el agua para el caramelo en un cazo de base gruesa y, removiendo, caliéntelo a fuego lento hasta que se disuelva el azúcar. Déjelo hervir despacio hasta que el caramelo adquiera un tono dorado pálido. Retírelo del fuego. Vierta el caramelo sobre una capa de pastel. Cuando se haya endurecido un poco, trace 8 marcas con un cuchillo untado en aceite para señalar las porciones.

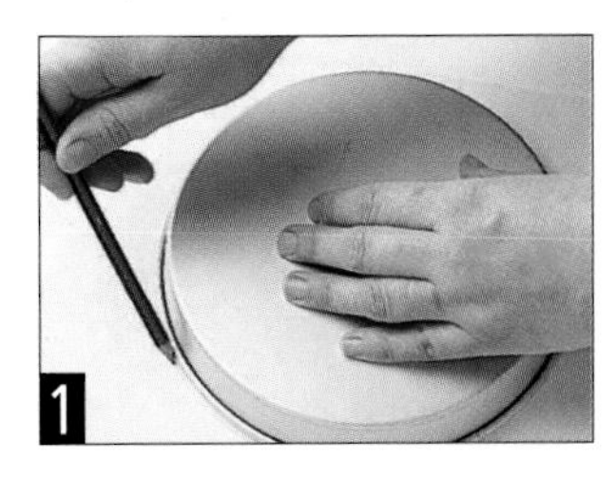
1

3

6 Retire el papel de las capas de pastel y recorte los bordes. Únalas con parte del relleno y coloque encima la capa cubierta de caramelo. Ponga el pastel sobre una fuente y unte los lados con crema. Con la manga pastelera, decore el borde con rosetas.

roscón de chocolate y albaricoque

para 12 personas

6 cucharadas de mantequilla en dados
450 g de harina de fuerza tamizada
4 cucharadas de azúcar lustre
2 huevos batidos
150 ml de leche

PARA RELLENAR Y DECORAR
25 g de mantequilla derretida
150 g de orejones de albaricoque picados
100 g de gotas de chocolate negro
1-2 cucharadas de leche
25 g de chocolate negro fundido

1 Engrase un molde redondo de 25 cm de diámetro y forre la base.

2 Trabaje la mantequilla y la harina con los dedos hasta obtener una textura de pan rallado. Añada el azúcar lustre, el huevo y la leche, y trabájelo hasta obtener una pasta suave.

3 Extiéndala sobre una superficie enharinada, dándole la forma de un cuadrado de 35 cm de lado.

4 Pinte la superficie de la pasta con la mantequilla fundida. Mezcle los orejones con las gotas de chocolate y espárzalo sobre la pasta, dejando libres 2,5 cm a cada lado.

5 Enrolle la pasta, dandole forma de brazo de gitano, y córtela en varias rebanadas de 2,5 cm de grosor. Colóquelas bordeando el molde, de manera que queden ligeramente superpuestas, y píntelas con leche.

6 Cueza el roscón en el horno precalentado a 180 °C durante 30 minutos, o hasta que esté cocido y dorado. Manténgalo 15 minutos en el molde y después páselo a una rejilla metálica para que se enfríe del todo.

7 Decore el roscón con hilillos de chocolate derretido.

4

5

pastel de chocolate blanco y negro

para 6 personas

4 huevos
100 g de azúcar lustre
100 g de harina
CREMA DE CHOCOLATE NEGRO
300 ml de nata espesa
150 g de chocolate negro troceado
COBERTURA DE CHOCOLATE BLANCO
75 g de chocolate blanco
15 g de mantequilla
1 cucharada de leche
4 cucharaditas de azúcar glasé
canutillos de chocolate (véase pág. 7)

1 Engrase un molde de 20 cm de diámetro y forre la base. En un cuenco grande, bata los huevos y el azúcar lustre con las varillas eléctricas, durante 10 minutos o hasta obtener una crema muy ligera y espumosa, de manera que al levantar las varillas forme un hilo que se desprenda despacio.

2 Tamice la harina e incorpórela a la crema con una cuchara metálica o una espátula. Vierta la pasta en el molde y cuézala en el horno precalentado a 180 °C unos 35-40 minutos, hasta que quede esponjosa al tacto. Déjela entibiar en el molde, y después colóquela sobre una rejilla para que se acabe de enfriar. Corte el pastel ya frío en 2 capas.

3 Ponga a hervir la nata en un cazo, removiendo.Añada el chocolate y remueva hasta que se derrita y quede bien mezclado. Retírelo del fuego y cuando se haya enfriado bátalo todo con una cuchara de madera hasta que se espese.

4 Una las dos capas de pastel con la crema de chocolate y colóquelo sobre una rejilla metálica.

5 Para preparar la cobertura, derrita el chocolate con la mantequilla, mezclándolo bien. Añada la leche y el azúcar glasé. Bata unos minutos hasta que la cobertura se enfríe. Viértala sobre el pastel y extiéndala con una espátula por la parte superior y los lados. Decórela con canutillos de chocolate y espere a que cuaje.

3

4

bistvitny

para 10 personas

TRIÁNGULOS DE CHOCOLATE
- 25 g de chocolate negro fundido
- 25 g de chocolate blanco fundido

BIZCOCHO
- 175 g de margarina ablandada
- 175 g de azúcar lustre
- ½ cucharadita de esencia de vainilla
- 3 huevos ligeramente batidos
- 225 g de harina de fuerza
- 50 g de chocolate negro

ALMÍBAR
- 125 g de azúcar
- 6 cucharadas de agua
- 3 cucharadas de brandy o jerez
- 150 ml de nata espesa

1 Engrase un molde acanalado de corona de 23 cm. Coloque una hoja de papel vegetal sobre una bandeja para el horno y esparza varias cucharadas de chocolate negro y blanco sobre el papel, alternándolas. Remueva un poco para formar una gruesa capa bicolor, y déjela cuajar. Córtela en cuadrados y después en triángulos.

2 Para preparar el bizcocho, bata la margarina con el azúcar hasta obtener una crema esponjosa. Añada la esencia de vainilla. Incorpore el huevo muy despacio, batiendo bien tras cada adición. Agregue la harina. Divida la pasta en dos partes. Derrita el chocolate negro e incorpórelo en una de ellas.

3 Alterne cucharadas de los dos tipos de pasta en el molde, y remueva con un pincho de cocina para crear un aspecto veteado.

4 Cueza el pastel en el horno precalentado a 190 °C unos 30 minutos, hasta que esté esponjoso al tacto. Manténgalo 5 minutos en el molde, y acábelo de enfriar sobre una rejilla metálica.

5 Disuelva, a fuego lento, el azúcar en el agua. Déjelo hervir un par de minutos. Retírelo del fuego y añada el licor. Cuando esté tibio, vierta varias cucharadas sobre el pastel. Monte la nata y, con la manga pastelera, decore la corona. Adórnela con los triángulos de chocolate.

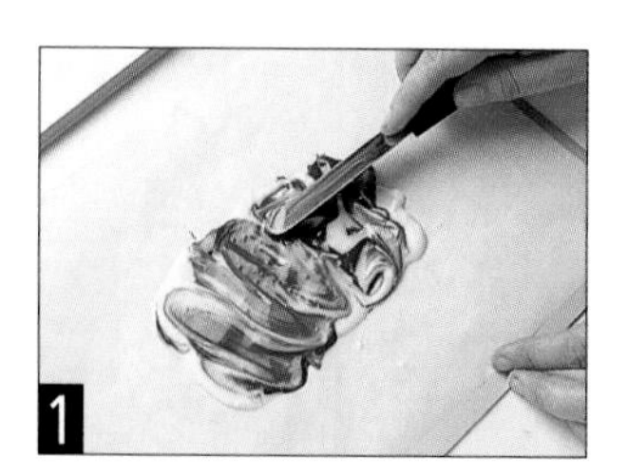
1

3

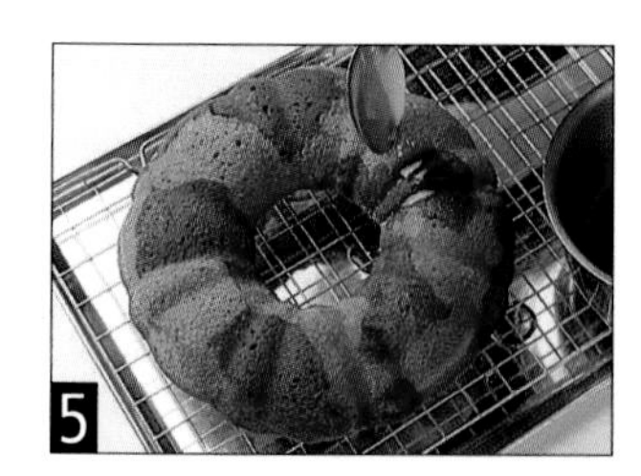
5

bizcocho de chocolate y almendras

para 10 personas

225 g de chocolate negro troceado
3 cucharadas de agua
150 g de azúcar moreno
175 g de mantequilla ablandada
25 g de almendras molidas
3 cucharadas de harina de fuerza
5 huevos, las yemas separadas de las claras
100 de almendras blanqueadas fileteadas
azúcar glasé para espolvorear

PARA SERVIR
fruta fresca variada
nata espesa (opcional)

SUGERENCIA

Para potenciar su sabor, tueste las almendras fileteadas en una sartén a fuego medio durante 2 minutos, hasta que se estén ligeramente doradas.

1 Engrase un molde desmontable de 23 cm de diámetro y forre la base con papel vegetal.

2 Funda el chocolate con el agua a fuego lento, removiendo, hasta obtener una mezcla homogénea. Añada el azúcar y mezcle hasta que quede bien disuelto. Aparte el cazo del fuego para evitar que se sobrecaliente.

2

3 Añada la mantequilla poco a poco, y manténgala a fuego lento hasta que se funda en el chocolate. Aparte el cazo del fuego e incorpore las almendras molidas y la harina.

3

3

4 En un cuenco grande, bata las claras a punto de nieve; con una cuchara metálica, incorpórelas a la mezcla de chocolate. Añada las almendras fileteadas. Vierta la pasta en el molde engrasado y alise la superficie.

5 Cueza la tarta en el horno precalentado a 180 °C durante 40-45 minutos, hasta que la masa haya subido y la superficie esté agrietada.

6 Déjela entibiar en el molde unos 30-40 minutos. Vuélquela sobre una rejilla metálica para que se enfríe completamente. Espolvoréela con azúcar glasé y sirva las porciones acompañadas de nata espesa o frutas variadas, si lo desea.

pastel de chocolate y dátiles

para 8 personas

115 g de chocolate negro troceado
1 cucharada de granadina
1 cucharada de melaza de caña
115 g de mantequilla sin sal
55 g de azúcar lustre
2 huevos grandes
85 g de harina de fuerza
2 cucharadas de arroz molido
1 cucharada de azúcar glasé para decorar

RELLENO
115 g de dátiles deshidratados, picados
1 cucharada de zumo de limón
1 cucharada de zumo de naranja
1 cucharada de azúcar demerara
25 g de almendras blanqueadas picadas
2 cucharadas de mermelada de albaricoque

1 Engrase y espolvoree con harina dos moldes de bizcocho de 18 cm. En un bol al baño María, mezcle el chocolate, la granadina y la melaza, removiendo hasta que el chocolate se funda y se forme una mezcla homogénea. Aparte el cazo del fuego y deje que la mezcla se enfríe.

2 Bata la mantequilla con el azúcar lustre hasta que adquiera un tono pálido y una consistencia esponjosa. Incorpore los huevos de uno en uno y, luego, la mezcla de chocolate.

2

3 Tamice la harina en otro cuenco y añada el arroz molido. Con cuidado, incorpore la harina a la crema del paso anterior.

4 Vierta la mezcla a partes iguales en los dos moldes, y alise la superficie. Cueza los dos bizcochos en el horno precalentado a 180 °C unos 20-25 minutos, hasta que se doren. Vuélquelos sobre una rejilla metálica y déjelos enfriar.

4

5 Para preparar el relleno, mezcle todos los ingredientes en un cazo y caliéntelos a fuego lento, removiendo, unos 4-5 minutos, hasta obtener una mezcla homogénea. Aparte el cazo del fuego, déjelo enfriar y rellene los dos bizcochos con la mezcla. Decore el pastel con azúcar glasé.

5

pastel de chocolate blanco

para 12 personas

2 huevos
4 cucharadas de azúcar lustre
5½ cucharadas de harina
50 g de chocolate blanco fundido
COBERTURA DE CHOCOLATE BLANCO
300 ml de nata espesa
350 g de chocolate troceado
250 g de queso fresco cremoso
PARA DECORAR
chocolate negro, blanco o con leche, fundido
cacao en polvo, para espolvorear

1 Engrase un molde de 20 cm de diámetro y forre la base.

2 Bata los huevos con el azúcar lustre, unos 10 minutos, hasta obtener una crema muy ligera. Tamice la harina e incorpórela con una cuchara metálica. Agregue el chocolate fundido. Vierta la pasta en el molde y cueza el bizcocho en el horno precalentado a 180 °C durante unos 25 minutos, hasta que quede bien esponjoso. Manténgalo 5 minutos en el molde, y deje que se acabe de enfriar sobre una rejilla metálica. Vuelva a ponerlo en el molde.

3 Para preparar la cobertura, lleve la nata a ebullición, en un cazo, removiendo. Deje que se entibie y añada el chocolate; remueva hasta que se haya fundido y esté bien mezclado. Retírelo del fuego y, cuando esté frío, añada el queso fresco, removiendo. Extienda la pasta sobre el bizcocho y deje el pastel 2 horas en la nevera.

3

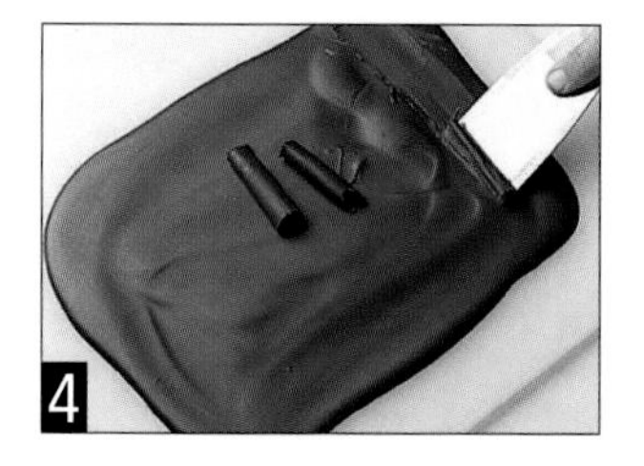
4

4

4 Sáquelo del molde y colóquelo en una fuente. Prepare los canutillos de chocolate y decore con ellos el pastel. Espolvoree con un poco de cacao en polvo por encima y sírvalo.

bizcocho de vainilla y chocolate

para 10 personas

175 g de azúcar lustre

175 g de margarina ablandada

½ cucharadita de esencia de vainilla

3 huevos

225 g de harina de fuerza tamizada

50 g de chocolate negro

azúcar glasé, para espolvorear

SUGERENCIA

Congele el pastel, sin decorar, hasta 2 meses. Descongélelo a temperatura ambiente.

1 Engrase un molde rectangular de 500 ml de capacidad.

2 En un bol, bata el azúcar con la margarina hasta obtener una crema ligera y esponjosa.

3 Añada la esencia de vainilla. Incorpore los huevos de uno en uno, batiendo bien tras cada adición. Agregue con cuidado la harina

4 Divida la pasta en dos partes. Funda el chocolate negro e incorpórelo a una, mezclando bien.

5 Vierta la pasta de vainilla en el molde y alise la superficie. Cúbrala con la pasta de chocolate.

6 Cueza el bizcocho en el horno precalentado a 190 °C durante unos 30 minutos, hasta que esté esponjoso al tacto.

7 Deje que se entibie unos minutos en el molde, y después colóquelo sobre una rejilla metálica para que acabe de enfriarse.

8 Antes de servirlo, espolvoréelo con un poco de azúcar glasé.

4

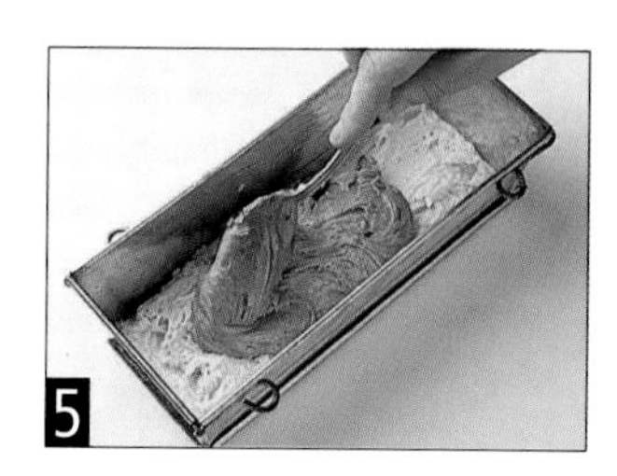

5

pastel de chocolate sin hornear

para 8 personas

225 g de mantequilla sin sal troceada
225 g de chocolate negro
55 g de guindas picadas
55 g de nueces picadas
12 galletas de chocolate negro rectangulares

1 Forre un molde de bizcocho con papel vegetal y resérvelo.

2 Derrita la mantequilla y el chocolate al baño María o en un cuenco resistente al calor colocado sobre un cazo con agua hirviendo a fuego lento. Remueva constantemente hasta que se fundan y formen una mezcla homogénea. Apártelo del fuego y déjelo enfriar ligeramente.

3 Mezcle las guindas y las nueces en un bol aparte. Vierta un tercio de la mezcla de chocolate en el molde, cúbrala con una capa de galletas y luego con la mitad de las guindas y las nueces. Prepare más capas con el resto de los ingredientes y remátelas con la mezcla de chocolate. Cubra el pastel con film transparente y déjelo enfriar en la nevera unas 12 horas. Cuando esté bien frío, vuélquelo sobre una fuente.

pastel de ganache de chocolate

para 10 personas

175 g de mantequilla
175 g de azúcar lustre
4 huevos ligeramente batidos
200 g de harina de fuerza
1 cucharada cacao en polvo
50 g de chocolate negro fundido
GANACHE
450 ml de nata espesa
375 g chocolate negro troceado
200 g de cobertura para pasteles con sabor a chocolate, para decorar

1 Engrase un molde desmontable de 20 cm de diámetro y forre la base. Bata la mantequilla con el azúcar. Incorpore el huevo poco a poco, batiendo enérgicamente. Tamice juntos la harina y el cacao, y añádalos a la pasta. Agregue el chocolate fundido.

2 Vierta la mezcla en el molde y alise la superficie. Cueza el pastel en el horno precalentado a 180 °C unos 40 minutos, hasta que esté esponjoso al tacto. Déjelo 5 minutos en el molde, y después Dele la vuelta sobre una rejilla metálica para que se enfríe completamente. Una vez frío, córtelo en dos capas.

3 Para la *ganache*, lleve la nata a ebullición en un cazo, sin dejar de remover. Añada el chocolate y remueva hasta que se funda, formando una mezcla homogénea. Viértalo en un cuenco y bátalo 5 minutos o hasta que la *ganache* se vuelva esponjosa.

4 Reserve un tercio. Con el resto, rellene el bizcocho y cubra todo el pastel.

5 Funda la cobertura con sabor a chocolate y extiéndala sobre una hoja grande de papel vegetal. Déjela enfriar hasta el punto de cuajar. Córtela en tiras algo más anchas que la altura del pastel y colóquelas alrededor, superponiéndolas ligeramente.

4

5

6 Con una manga pastelera, aplique la *ganache* restante en forma de rosetas sobre el pastel. Enfríelo en la nevera una hora antes de servirlo.

pastel de trufa

para 12 personas

75 g de mantequilla
75 g de azúcar lustre
2 huevos ligeramente batidos
75 g de harina de fuerza
½ cucharadita de levadura
en polvo
25 g de cacao en polvo
50 g de almendra molida
COBERTURA DE TRUFA
350 g de chocolate negro
100 g de mantequilla
300 ml de nata espesa
75 g de migas de bizcocho
3 cucharadas de ron oscuro
PARA DECORAR
grosellas sudafricanas
50 g de chocolate negro fundido

1 Engrase un molde desmontable de 20 cm de diámetro. Bata la mantequilla junto con el azúcar hasta obtener una crema ligera y esponjosa. Incorpore el huevo poco a poco, batiendo bien tras cada adición.

2 Tamice la harina con el cacao en polvo y la levadura. Añádalo a la crema, a la que habrá incorporado ya la almendra. Vierta la pasta en el molde y cueza el bizcocho en el horno precalentado a 180 °C durante unos 20-25 minutos, hasta que quede esponjoso. Déjelo entibiar 5 minutos en el molde, y después colóquelo sobre una rejilla metálica para que se acabe de enfriar. Lave el molde, séquelo, y vuelva a introducir el pastel ya frío.

3 Para la cobertura, caliente en un cazo de base gruesa, a fuego lento, el chocolate, la mantequilla y la nata, removiendo hasta que quede suave. Déjelo enfriar y después refrigérelo unos 30 minutos en la nevera. Bátalo bien con una cuchara de madera y enfríelo otros 30 minutos. Bata de nuevo la crema y añada las migas de bizcocho y el ron, sin dejar de batir, hasta que esté bien mezclado. Extienda la cobertura sobre la base y guarde el pastel 3 horas en la nevera.

4 Moje las grosellas sudafricanas en el chocolate derretido para cubrirlas parcialmente. Coloque el pastel sobre una fuente y decórelo con las grosellas.

2

3

4

tronco de Navidad

para 10 personas

BIZCOCHO
4 huevos
100 g de azúcar lustre
75 g de harina de fuerza
2 cucharadas de cacao en polvo

COBERTURA
150 g de chocolate negro
2 yemas de huevo
150 ml de leche
125 de mantequilla
4 cucharadas de azúcar glasé
2 cucharadas de ron (opcional)

PARA DECORAR
glaseado blanco o glasa real
azúcar glasé, para espolvorear
acebo o adornos de pastel navideños

1 Engrase y forre un molde de 30 x 23 x 12 cm.

2 Bata los huevos y el azúcar lustre con las varillas eléctricas durante 10 minutos hasta obtener una crema muy ligera y espumosa. Tamice la harina con el cacao en polvo y añádalo a la crema. Viértalo en el molde y cueza el bizcocho en el horno precalentado a 200 °C unos 12 minutos, hasta que quede esponjoso. Colóquelo sobre una hoja de papel vegetal espolvoreada con azúcar lustre. Retire el papel del forro y recorte los bordes de la pasta. Haga una pequeña incisión a 1 cm de uno de los lados estrechos. Empezando por ese extremo, enrolle la pasta con el papel. Déjela enfriar sobre una rejilla.

3 Trocee el chocolate y derrítalo. Añada las yemas, batiendo, y después la leche. Sin dejar de remover, caliéntelo hasta que la crema cubra el dorso de una cuchara de madera. Tápela con papel mientras se enfría. Bata la mantequilla con el azúcar hasta obtener una crema esponjosa y pálida. Añádala con el ron, si lo utiliza, a la mezcla de chocolate.

4 Desenrolle el tronco, extienda ⅓ de la cobertura por encima y enróllelo de nuevo. Recubra el tronco con el resto de la cobertura, y dibuje la corteza de árbol con un tenedor cuando haya cuajado. Con la manga pastelera, trace líneas de glaseado para que simulen los anillos del árbol. Decórelo.

2

3

4

pudín de pan al chocolate

para 4 personas

6 rebanadas gruesas de pan blanco, sin corteza
450 ml de leche
175 ml de leche evaporada
2 cucharadas de cacao en polvo
2 huevos
2 cucharadas de azúcar mascabado
1 cucharadita de esencia de vainilla
azúcar glasé para espolvorear

SALSA DE CHOCOLATE CALIENTE
55 g de chocolate troceado
1 cucharada de cacao en polvo
2 cucharadas de melaza de caña
5 g de mantequilla o margarina
2 cucharadas de azúcar moreno mascabado
150 ml de leche
1 cucharada de harina de maíz

1 Engrase una fuente para el horno. Corte el pan en trozos cuadrados y cúbrala formando varias capas.

2 Mezcle los dos tipos de leche y el cacao en un cazo a fuego lento, removiendo de vez en cuando, hasta que la mezcla esté templada.

3 Bata los huevos con el azúcar y la esencia de vainilla. Añada la mezcla de leche caliente y bata bien.

4 Viértalo en la fuente procurando que todo el pan quede bien cubierto. Tape la fuente con film transparente y guárdela en la nevera durante 1-2 horas.

5 Cueza el pudín en el horno precalentado a 180 °C durante 35-40 minutos, hasta que cuaje. Retire el pudín de la fuente y déjelo enfriar durante 5 minutos.

6 Para preparar la salsa, ponga el chocolate, el cacao en polvo, la melaza, la mantequilla o la margarina, el azúcar, la leche y la harina de maíz en un cazo. Caliéntelo ligeramente sin dejar de remover, hasta obtener una mezcla homogénea.

7 Espolvoree el pudín con un poco de azúcar glasé y sírvalo con la salsa caliente.

tronco de capas de chocolate

para 8 personas

125 g de margarina ablandada
125 g de azúcar lustre
2 huevos
100 g de harina de fuerza
25 g de cacao en polvo
2 cucharadas de leche
CREMA DE MANTEQUILLA
Y CHOCOLATE BLANCO
75 g de chocolate blanco
2 cucharadas de leche
150 g de mantequilla
125 g de azúcar glasé
2 cucharadas de licor de naranja
virutas rápidas de chocolate negro

1 Engrase y forre con papel vegetal dos latas de conserva de 400 ml.

2 Bata la margarina con el azúcar. Añada los huevos, de uno en uno, batiendo bien tras cada adición. Tamice la harina con el cacao e incorpórelo. Agregue la leche.

3 Reparta la pasta entre las dos latas. Colóquelas sobre una bandeja para el horno y cuézala en el horno precalentado a 180 °C durante 40 minutos. Deje que los bizcochos se entibien 5 minutos en la lata, y después colóquelos sobre una rejilla metálica para que se acaben de enfriar.

4 Para la crema de mantequilla, caliente el chocolate y la leche en un cazo, a fuego lento, hasta que el chocolate se funda, removiendo bien para mezclar. Déjelo entibiar. Bata la mantequilla con el azúcar glasé hasta obtener una crema ligera y esponjosa. Añada el licor de naranja y, poco a poco, la mezcla de chocolate y leche.

5 Para montar el pastel, corte los dos bizcochos en rebanadas de 1 cm de grosor y únalas con un poco de crema de mantequilla.

1

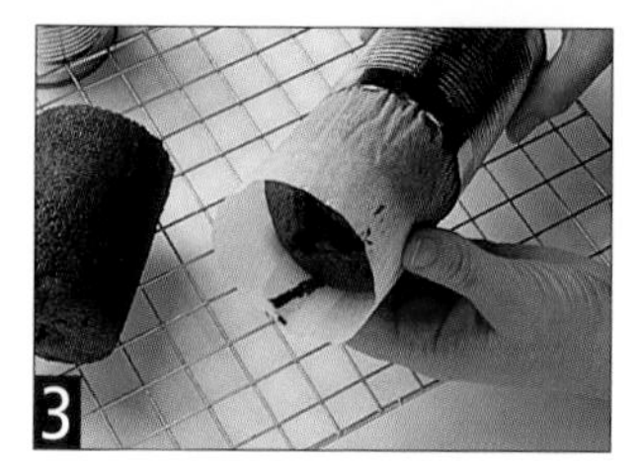
3

6 Coloque el pastel en una fuente y recúbralo con el resto de la crema de mantequilla. Decórelo con las virutas de chocolate y sírvalo cortado en rebanadas diagonales.

pastelitos de chocolate y albaricoque

para 12 personas

- 125 g de mantequilla
- 175 g de chocolate blanco troceado
- 4 huevos
- 125 g de azúcar lustre
- 200 g de harina blanca tamizada
- 1 cucharada de levadura en polvo
- 1 pizca de sal
- 100 g de orejones de albaricoque que no necesiten remojo

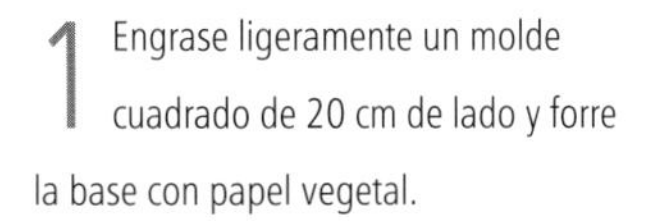

1 Engrase ligeramente un molde cuadrado de 20 cm de lado y forre la base con papel vegetal.

2 Funda la mantequilla con el chocolate al baño María, sin dejar de remover con una cuchara de madera, hasta que la mezcla quede homogénea y brillante. Déjela entibiar.

3 Incorpore los huevos y el azúcar lustre a la mezcla de chocolate y mantequilla, batiendo hasta que adquiera una consistencia homogénea.

4 Añada la harina, la levadura en polvo, la sal y los orejones picados y mezcle bien.

5 Vierta la pasta en el molde engrasado y cuézala en el horno precalentado a 180 °C durante unos 25-30 minutos.

6 Aunque el centro del bizcocho no quede firme al tacto, cuajará al enfriarse. Déjelo enfriar en el molde.

7 Cuando el pastel esté del todo frío, sáquelo del molde y córtelo en trozos cuadrados o rectangulares para servirlo.

Postres calientes

El chocolate siempre resulta estimulante, pero tal vez incluso más cuando acompaña un pudín caliente. Es difícil imaginar algo más casero, cálido y reconfortante que una ración de pudín con crema de chocolate o de soufflé de chocolate caliente; y a los niños les encanta que se añada chocolate a sus postres preferidos, como el pudín de pan y mantequilla. De hecho, aquí se presentan varias recetas tradicionales a las que se ha añadido chocolate, actualizándolas y dándoles así un lugar predilecto entre las preferencias de los amantes del chocolate.

Cuando desee tomar algo sofisticado, pruebe la torre de tortitas de manzana y chocolate, o la tarta de pera y almendras con chocolate; o tal vez el sabayón de chocolate, que le hará descubrir la elegancia de un postre caliente y cremoso que seducirá su paladar.

pudines de jengibre con chocolate

para 4 personas

100 g de margarina ablandada
100 g de harina de fuerza tamizada
100 g de azúcar lustre
2 huevos
25 g de cacao en polvo, tamizado
25 g de chocolate negro
50 g de jengibre
CREMA DE CHOCOLATE
2 yemas de huevo
1 cucharada de azúcar lustre
1 cucharada de harina de maíz
300 ml de leche
100 g de chocolate negro troceado
azúcar glasé, para espolvorear

1 Engrase ligeramente 4 moldes individuales para pudín. Disponga la margarina, la harina, el azúcar, los huevos y el cacao en un cuenco, y bátalo hasta obtener una pasta suave. Pique el chocolate y el jengibre y añádalos.

2 Vierta la pasta en los moldes, hasta ¾ de su capacidad; alise la superficie. Cubra los moldes con papel vegetal, y después con una hoja doblada de papel de aluminio. Cueza los pudines al vapor 45 minutos, hasta que estén hechos y esponjosos.

3 Mientras tanto, prepare la crema. Bata las yemas de huevo con el azúcar y la harina de maíz hasta formar una pasta suave. Caliente la leche hasta que hierva y viértala sobre la pasta. Vierta la crema en el cazo, y caliéntela a fuego muy suave hasta que se espese. Retírela del fuego y añada el chocolate. Remueva hasta que se haya fundido.

4 Pasando un cuchillo alrededor del borde, desmolde los pudines y colóquelos en platos individuales. Espolvoréelos con azúcar y vierta un poco de crema de chocolate por encima. Sirva el resto de la crema en una salsera.

2

2

3

el rey de los pudines de chocolate

para 4 personas

- 50 g de chocolate negro
- 450 ml de leche con cacao
- 100 g de pan rallado blanco o integral
- 125 g de azúcar lustre
- 2 huevos, con las yemas separadas de las claras
- 4 cucharadas de mermelada de cerezas oscuras

VARIACIÓN

Si lo prefiere, añada 40 g de coco rallado al pan y omita la mermelada.

1 Caliente el chocolate troceado con la leche a fuego lento, hasta que se funda el chocolate. Cuando esté a punto de hervir, retire el cazo del fuego.

2 Ponga el pan rallado en un cuenco grande con 25 g de azúcar. Vierta la leche chocolateada encima y mezcle bien. Añada las yemas de huevo y bata.

3 Vierta la pasta en una fuente para el horno de 1 litro de capacidad y cueza el pudín en el horno precalentado a 180 °C durante unos 25-30 minutos, hasta que haya cuajado y esté firme al tacto.

4 Bata las claras a punto de nieve. Añada poco a poco el resto del azúcar, y siga batiendo hasta obtener un merengue espeso y satinado.

5 Extienda la mermelada sobre la superficie del pudín y cúbrala de merengue con una cuchara o manga pastelera. Hornee el pudín durante 15 minutos más, o hasta que el merengue quede dorado y crujiente.

pudín de Eva con salsa de chocolate amargo

para 4 personas

225 g de frambuesas congeladas

2 manzanas peladas, sin el corazón y cortadas en rodajas gruesas

4 cucharadas de mermelada de frambuesa sin semillas

2 cucharadas de oporto (opcional)

BIZCOCHO

50 g de margarina ablandada

50 g de azúcar lustre

75 g de harina de fuerza tamizada

50 g de chocolate blanco rallado

1 huevo

2 cucharadas de leche

SALSA DE CHOCOLATE AMARGO

90 g de chocolate negro

150 ml de nata líquida

VARIACIÓN

Prepare el bizcocho con chocolate negro y utilice mitades de albaricoque y confitura de esta misma fruta.

1 Coloque las rodajas de manzana y las frambuesas en un recipiente para el horno de 1 litro de capacidad.

2 En un cazo a fuego lento, caliente la mermelada con el oporto, si lo utiliza, hasta que la mermelada se funda y se mezcle bien con el vino. Vierta esta salsa sobre la fruta.

3 Coloque todos los ingredientes del bizcocho en un cuenco grande y bata con las varillas eléctricas o con un batidor manual hasta obtener una pasta suave.

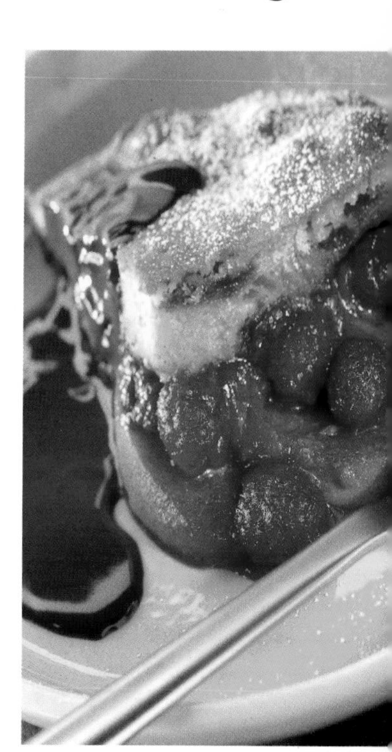

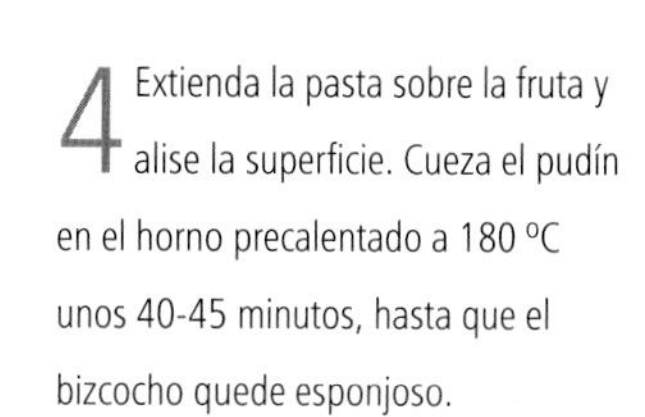

4 Extienda la pasta sobre la fruta y alise la superficie. Cueza el pudín en el horno precalentado a 180 ºC unos 40-45 minutos, hasta que el bizcocho quede esponjoso.

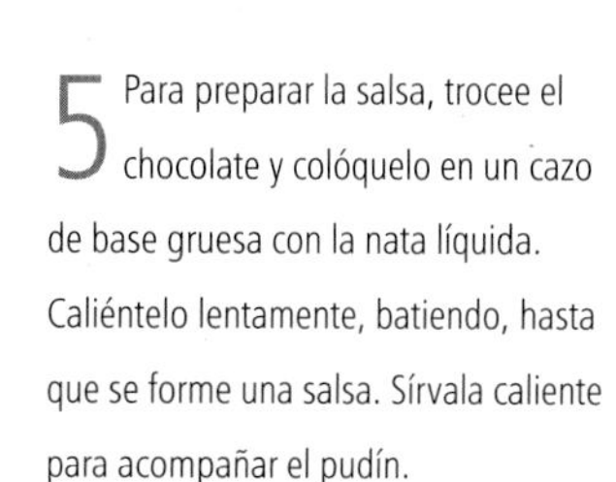

5 Para preparar la salsa, trocee el chocolate y colóquelo en un cazo de base gruesa con la nata líquida. Caliéntelo lentamente, batiendo, hasta que se forme una salsa. Sírvala caliente para acompañar el pudín.

pudín de pan y mantequilla al chocolate

para 4 personas

225 g de brioche

15 g de mantequilla

50 g de gotas de chocolate negro

1 huevo

2 yemas de huevo

4 cucharadas de azúcar lustre

425 ml de leche evaporada

1 Corte el brioche en rebanadas finas. Unte una cara con un poco de mantequilla.

2 Extienda una capa de brioche, con la cara untada hacia abajo, sobre la base de una fuente para el horno. Esparza por encima unas gotas de chocolate.

3 Repita la operación varias veces, y acabe con una capa de brioche.

VARIACIÓN

Para un pudín de doble chocolate, caliente la leche con una cucharada de cacao y remueva hasta que se disuelva. Continúe a partir del paso 4.

4 Bata el huevo, las yemas y el azúcar hasta obtener una crema homogénea. Caliente la leche en un cazo sin dejarla hervir. Incorpore la crema despacio y bata bien.

5 Vierta la crema sobre el brioche y déjelo reposar durante 5 minutos. Presione el brioche para quede bien empapado.

6 Coloque la fuente en una bandeja honda para el horno y llénela con agua hirviendo hasta la mitad. Cueza el pudín al baño María en el horno precalentado a 180 °C, 30 minutos o hasta que la crema cuaje. Deje que se entibie 5 minutos antes de servirlo.

2

4

6

compota de frutas crujiente con chocolate

para 4 personas

- 1 lata de 400 g de albaricoques al natural
- 450 g de manzanas para asar, peladas y en rodajas gruesas
- 100 g de harina
- 85 g de mantequilla
- 50 g de copos de avena
- 4 cucharadas de azúcar lustre
- 100 g de gotas de chocolate

VARIACIÓN

Puede preparar la compota con otras frutas: queda muy bien la combinación de peras frescas con frambuesas. Si utiliza fruta fresca, añada 4 cucharadas de zumo de naranja.

2

3

4

1 Engrase ligeramente una fuente para el horno con mantequilla.

2 Escurra los albaricoques y reserve 4 cucharadas del jugo. Coloque las manzanas y los albaricoques en la fuente, con el jugo, y remueva para mezclar.

3 Tamice la harina en un cuenco grande. Corte la mantequilla en dados y mézclela con la harina, con los dedos, hasta obtener una consistencia de pan rallado. Añada los copos de avena, el azúcar y las gotas de chocolate.

4 Extienda la mezcla sobre la fruta y alise un poco la superficie, procurando no presionar.

5 Cueza la compota en el horno precalentado a 180 °C durante 40-45 minutos, o hasta que la cobertura quede crujiente. Puede servirla tanto fría como caliente.

crepes de plátano y chocolate

para 4 personas

3 plátanos grandes
6 cucharadas de zumo de naranja
la ralladura de 1 naranja
2 cucharadas de licor de naranja o de plátano

SALSA DE CHOCOLATE CALIENTE
1 cucharada de cacao en polvo
2 cucharaditas de harina de maíz
3 cucharadas de leche
40 g de chocolate negro
15 g de mantequilla
175 g de melaza de caña
¼ de cucharadita de esencia de vainilla

CREPES
100 g de harina
1 cucharada de cacao en polvo
1 huevo
1 cucharada de aceite de girasol
300 ml de leche

1 Pele los plátanos, córtelos en rodajas, colóquelos en un plato, y recúbralos con el zumo, la ralladura y el licor de naranja. Reserve.

2 En un cuenco, mezcle el cacao en polvo con la harina de maíz y la leche. Trocee el chocolate y caliéntelo en un cazo, a fuego lento, con la mantequilla y la melaza de caña, removiendo para mezclar. Añada la pasta de cacao y, a fuego lento y removiendo, llévelo a ebullición. Cuézalo 1 minuto, retírelo del fuego y añada la esencia de vainilla.

2

3 Para hacer las crepes, tamice la harina y el cacao en un cuenco y haga un hoyo en el centro. Añada el huevo y el aceite. Incorpore la leche poco a poco, hasta formar una pasta suave. Caliente un poco de aceite en una sartén de base gruesa. Vierta un poco de pasta e incline la sartén para recubrir toda la base. Cueza la crepe a fuego medio hasta que la parte inferior esté dorada. Dele la vuelta y fríala por el otro lado. Retírela de la sartén y manténgala caliente. Prepare así crepes hasta que se acabe la pasta.

4 Para servir, vuelva a calentar la salsa de chocolate 1-2 minutos. Rellene las crepes con el plátano y dóblelas por la mitad o en forma de triángulo. Vierta un poco de salsa de chocolate por encima y sírvalas.

3

3

peras escalfadas con crema de chocolate

para 6 personas

6 peras de consistencia firme
100 g de azúcar lustre
2 ramas de canela
la ralladura de 1 naranja
2 clavos
1 botella de vino rosado
CREMA DE CHOCOLATE
175 g de chocolate negro
250 g de queso mascarpone
2 cucharadas de licor de naranja

SUGERENCIA

No tire el sabroso jugo de cocción. Hiérvalo a fuego fuerte en una cazuela unos 10 minutos, para convertirlo en almíbar, y utilícelo para endulzar una macedonia o regar un helado.

1 Pele cuidadosamente las peras, dejando el tallo intacto.

2 Ponga el azúcar, el vino, la canela, la ralladura y los clavos en una cazuela donde quepan las 6 peras.

3 Caliéntelo a fuego lento hasta que se disuelva el azúcar; incorpore las peras y cuézalas tapadas, a fuego lento, 20 minutos. Si quiere servirlas frías, déjelas enfriar en la cazuela, con su jugo, y después guárdela en la nevera. Si las sirve calientes, déjelas en la cazuela mientras prepara la salsa.

4 Para preparar la crema, funda el chocolate. Bata el mascarpone con el licor de naranja y mézclelo con el chocolate.

5 Retire las peras del líquido de cocción y colóquelas en los platos. Decore con una cucharada generosa de crema a un lado, y sirva el resto por separado.

tarta de peras y almendras con chocolate

para 6 personas

100 g de harina
25 g de almendras molidas
70 g de margarina
unas 3 cucharadas de agua
RELLENO
1 lata de 400 g de peras al natural cortadas por la mitad
55 g de mantequilla
4 cucharadas de azúcar lustre
2 huevos batidos
100 g de almendra molida
2 cucharadas de cacao en polvo
unas gotas de extracto de almendras
azúcar glasé, para espolvorear
SALSA DE CHOCOLATE
4 cucharadas de azúcar lustre
3 cucharadas de melaza de caña
90 ml de agua
175 g de chocolate negro troceado
25 g de mantequilla

1 Engrase un molde para tartas de 20 cm de diámetro. Tamice la harina y añada la almendra. Mézclelo con la margarina, trabajando con las manos, hasta que parezca pan rallado. Añada agua para formar una pasta suave. Tápela, refrigérela en la nevera unos 10 minutos y después extiéndala con un rodillo. Forre con ella la base del molde. Pínchela con un tenedor y guárdela en la nevera.

2 Para preparar el relleno, escurra las peras. Bata la mantequilla y el azúcar hasta obtener una crema. Añada el huevo, la almendra, el cacao y el extracto de almendra. Extienda la pasta sobre la base de la tarta y coloque las peras encima, presionando un poco. Cueza la tarta en el horno precalentado a 200 °C, a media altura, 30 minutos o hasta que el relleno haya subido. Deje que se entibie y colóquela sobre una fuente. Espolvoree con azúcar.

3 En un cazo, caliente a fuego lento el azúcar, la melaza y el agua, sin dejar de remover, hasta que el azúcar se haya disuelto. Déjelo hervir durante 1 minuto. Retire el cazo del fuego, añada el chocolate y la mantequilla y remueva hasta que se fundan.

tarta de manzana al chocolate

para 6 personas

BASE DE CHOCOLATE
4 cucharadas de cacao en polvo
200 g de harina
100 g de mantequilla ablandada
4 cucharadas de azúcar lustre
2 yemas de huevo
unas gotas de esencia de vainilla
agua fría, para mezclar

RELLENO
750 g de manzanas para asar
25 g de mantequilla
½ cucharadita de canela en polvo
50 g de gotas de chocolate negro
un poco de clara de huevo batida
½ cucharadita de azúcar lustre
nata montada o helado de vainilla, para servir (opcional)

1 Para preparar la pasta, tamice el cacao y la harina en un cuenco; añada la mantequilla. Mézclelo con los dedos hasta obtener una textura de pan rallado. Añada el azúcar. Incorpore las yemas de huevo, la esencia de vainilla y agua para formar una pasta.

2 Con el rodillo, extienda la pasta sobre una superficie enharinada, y forre con ella un molde para tarta de 20 cm de diámetro.Déjelo en la nevera unos 30 minutos. Extienda con el rodillo la pasta sobrante y recorte unas hojas para decorar.

3 Pele las manzanas, quíteles el corazón y córtelas en rodajas gruesas. Cueza a fuego lento la mitad en una cazuela, con la mantequilla y la canela, hasta que se ablanden.

4 Añada las rodajas crudas, deje que se entibie y agregue las gotas de chocolate. Pinche la base de pasta con un tenedor, vierta la mezcla de manzana y ponga por encima las hojas de pasta. Píntelas con clara de huevo y espolvoréelas con azúcar lustre.

4

4

5 Cueza la tarta en el horno precalentado a 180 °C durante unos 35 minutos, hasta que la pasta quede crujiente. Puede servirla tanto fría como caliente, acompañada con unas cucharadas de nata o con helado de vainilla.

pudín con crema de chocolate

para 6 personas

150 g de margarina ablandada

150 g de harina de fuerza

150 g de melaza de caña

3 huevos

25 g de cacao en polvo

CREMA DE CHOCOLATE

100 g de chocolate negro

125 ml de leche condensada

4 cucharadas de nata espesa

1 Engrase un recipiente para pudín de 1,2 litros de capacidad.

2 Bata los ingredientes para el bizcocho en un cuenco, hasta obtener una pasta suave.

3 Vierta la pasta en el recipiente y alise la superficie. Tápela con un disco de papel vegetal y después con una hoja de papel de aluminio doblada. Cueza el pudín al vapor 1½-2 horas, hasta que haya cuajado y quede esponjoso al tacto.

4 Para preparar la crema, trocee el chocolate y caliéntelo en un cazo con la leche condensada, a fuego lento, hasta que se funda.

5 Retire el cazo del fuego y añada la nata líquida.

6 Desmolde el pudín sobre una fuente redonda y vierta un poco de crema de chocolate por encima. Sirva el resto aparte, en una salsera.

tarta de merengue al chocolate

para 6 personas

225 g de galletas integrales de chocolate
55 g de mantequilla

RELLENO
3 yemas de huevo
4 cucharadas de azúcar lustre
4 cucharadas de harina de maíz
600 ml de leche
100 g de chocolate negro fundido

MERENGUE
2 claras de huevo
100 g de azúcar lustre
¼ de cucharadita de esencia de vainilla

1 Introduzca las galletas en una bolsa de plástico y tritúrelas con un rodillo de cocina. Ponga las migas en un cuenco. Derrita la mantequilla y mézclela con las migas. Presione la pasta de galleta firmemente sobre la base y los lados de un molde para tarta de 23 cm de diámetro.

2 Para preparar el relleno, bata las yemas, el azúcar y la harina de maíz en un cuenco hasta obtener una pasta fina; añada un poco de leche si es necesario. Caliente la leche sin dejar que hierva y viértala poco a poco sobre la mezcla de huevo, batiendo bien.

3 Vierta la mezcla de nuevo en el cazo y caliéntela a fuego lento, sin dejar de remover, hasta que se espese. Retire el cazo del fuego. Incorpore el chocolate fundido y vierta la crema sobre la base de galleta.

4 Para preparar el merengue, bata las claras a punto de nieve en un cuenco. Incorpore poco a poco ⅔ del azúcar, batiendo, hasta obtener un merengue espeso y satinado. Añada el resto del azúcar y la esencia de vainilla.

5 Extienda el merengue sobre el relleno y dele a la superficie un bonito acabado con el dorso de una cuchara. Cueza la tarta en el horno precalentado a 170 °C, a media altura, durante unos 30 minutos, hasta que el merengue se haya dorado. Puede servirla caliente o tibia.

torre de tortitas de manzana

para 4 personas

225 g de harina

1½ cucharaditas de levadura en polvo

4 cucharadas de azúcar lustre

1 huevo

15 g de mantequilla fundida

300 ml de leche

1 manzana

50 g de gotas de chocolate negro

salsa de chocolate caliente (véase pág. 82) o sirope de arce

SUGERENCIA

Para mantener las tortitas calientes, apílelas una sobre otra, intercalando láminas de papel vegetal para evitar que se peguen.

1 Tamice la harina y el cacao en polvo en un cuenco. Añada el azúcar. Haga un hoyo en el centro e incorpore el huevo y la mantequilla. Vierta la leche poco a poco, batiendo, hasta formar una pasta suave.

2 Pele la manzana, retire el corazón y rállela sobre la pasta. Añada las gotas de chocolate.

3 Caliente una parrilla o una sartén de base gruesa a fuego medio y engrásela ligeramente. Para cada tortita, vierta unas 2 cucharadas de pasta en la sartén y extiéndala hasta formar un redondel de 7,5 cm.

1

3

4

4 Cueza las tortitas de dos en dos durante unos minutos, hasta que aparezcan burbujas en la superficie. Deles la vuelta y cuézalas otro minuto. Retírelas de la sartén y manténgalas calientes. Repita la operación con el resto de la pasta, hasta obtener unas 12 tortitas.

5 Para servirlas a la mesa, apile 2 o 3 tortitas en cada plato individual y acompáñelas con la salsa de chocolate caliente o el sirope de arce, si lo desea.

fondue de chocolate

para 6-8 personas

FONDUE DE CHOCOLATE

225 de chocolate negro

200 ml de nata espesa

2 cucharadas de brandy

PARA SERVIR

fruta fresca

dulces de malvavisco blancos y rosas

galletas dulces

1 Trocee el chocolate y colóquelo en un cazo junto con la nata.

2 Caliéntelo a fuego lento, sin dejar de remover, hasta que el chocolate se funda y se mezcle bien con la nata.

3 Retire el cazo del fuego y añada el brandy.

4 Vierta la crema de chocolate en un recipiente para fondue o en un cuenco refractario y manténgala caliente sobre un hornillo para fondue.

5 Sirva el chocolate con fruta, dulces de malvavisco y galletas para mojar. Puede ensartar la fruta y los dulces en tenedores para fondue, brochetas o tenedores corrientes.

SUGERENCIA

Para preparar la fruta, corte la que sea grande en trozos. Rocíe la fruta que se oxida, como el plátano, la manzana y la pera, con un poco de zumo de limón una vez cortada.

2

3

4

raviolis de chocolate

para 4 personas

175 g de harina blanca
4 cucharadas de cacao en polvo
2 cucharadas de azúcar glasé
2 huevos ligeramente batidos y 1 huevo batido para pintar
1 cucharada de aceite vegetal

RELLENO

175 g de chocolate blanco troceado
225 g de queso mascarpone
1 huevo
1 cucharada de jengibre rallado
hojas de menta fresca, para decorar
nata espesa, para servir

1 Tamice la harina con el cacao y el azúcar y forme un volcán. Vierta los dos huevos batidos y el aceite en el hoyo. Con la punta de los dedos, incorpore poco a poco la harina hasta mezclarlo todo. Si lo prefiere, ponga la harina, el cacao y el azúcar tamizados en un robot de cocina, añada los huevos y el aceite y mézclelo. Amase la pasta hasta que adquiera una consistencia homogénea y elástica, luego tápela con film transparente y déjela en la nevera unos 30 minutos.

2 Mientras tanto, derrita el chocolate blanco en un cazo al baño María o en un cuenco resistente al calor colocado sobre un cazo con agua hirviendo a fuego lento. Una vez se haya fundido el chocolate, apártelo del fuego, deje que se entibie, e incorpore el mascarpone y el huevo. Añada el jengibre rallado.

3 Retire la pasta del frigorífico, córtela en dos mitades y guarde una bien envuelta en film transparente. Extienda la otra con el rodillo sobre una superficie enharinada hasta que tenga forma de rectángulo; cúbrala con un paño limpio humedecido. Extienda la otra mitad formando otro rectángulo. Introduzca la crema de chocolate en una manga pastelera y reparta sobre la pasta varios montoncitos de crema bien alineados, separados entre sí por espacios regulares de 4 cm. Pinte con huevo estos espacios. Ayudándose con un rodillo, coloque encima la otra capa de pasta. Selle los espacios vacíos que quedan entre el relleno con los dedos, para evitar posibles huecos. Corte la pasta en cuadrados con una ruedecita cortadora o con un cuchillo bien afilado. A continuación, coloque los raviolis sobre un paño ligeramente enharinado y déjelos reposar durante 30 minutos.

4 Ponga a hervir agua en una cazuela, baje la temperatura a fuego a medio y cueza los raviolis unos 4-5 minutos, en varias tandas, procurando que no se peguen entre ellos. No deben quedar blandos, sino *al dente*. Sáquelos del agua con una espumadera y sírvalos enseguida, en platos individuales, decorados con hojas de menta. Sirva la nata por separado.

pudín sorpresa con chocolate

para 4 personas

300 ml de leche
75 g de chocolate negro
½ cucharadita de esencia de vainilla
100 g de azúcar lustre
100 g de mantequilla
150 g de harina de fuerza
2 cucharadas de cacao en polvo
azúcar lustre, para espolvorear

PARA LA SALSA DE CHOCOLATE
3 cucharadas de cacao en polvo
50 g de azúcar mascabado claro
300 ml de agua hirviendo

1 Engrase una fuente para el horno de 850 ml de capacidad.

2 En un cazo, caliente a fuego lento el chocolate troceado con la leche, removiendo, hasta que se funda bien el chocolate. Deje que se entibie y añada la esencia de vainilla.

3 En un bol, bata la mantequilla con el azúcar hasta obtener una crema ligera y esponjosa. Tamice la harina con el cacao. Incorpórelo en la crema, y bata con unas varillas eléctricas hasta obtener una pasta suave. Viértala en la fuente.

4 Para preparar la salsa, mezcle el cacao en polvo con el azúcar. Añada un poco de agua hirviendo y siga removiendo hasta obtener una pasta suave. A continuación, agregue el resto del agua. Vierta la salsa sobre el pudín, pero no mezcle.

5 Coloque la fuente sobre una bandeja para el horno y cueza el pudín en el horno precalentado a unos 180 °C durante 40 minutos, o hasta que quede seco por arriba y esponjoso al tacto. Déjelo reposar 5 minutos. A continuación, espolvoréelo con un poco de azúcar glasé justo antes de servirlo a la mesa.

roscón de pacanas y chocolate

para 6 personas

SALSA DE CHOCOLATE

- 40 g de mantequilla
- 3 cucharadas de azúcar mascabado claro
- 4 cucharadas de melaza de caña
- 2 cucharadas de leche
- 1 cucharada de cacao en polvo
- 40 g de chocolate negro
- 50 g de pacanas finamente picadas

BIZCOCHO

- 100 g de margarina ablandada
- 100 g de azúcar mascabado claro
- 125 g de harina de fuerza
- 2 huevos
- 2 cucharadas de leche
- 1 cucharada de melaza de caña

1 Engrase ligeramente un molde de corona de 20 cm.

2 Para preparar la salsa, caliente la mantequilla, el azúcar, el sirope, la leche y el cacao en polvo en un cazo, y mezcle bien, removiendo.

3 Incorpore el chocolate troceado, y remueva hasta que se funda. Añada las pacanas picadas. Vierta la salsa en el molde y deje que se enfríe.

4 Para preparar el bizcocho, bata todos los ingredientes en un cuenco grande, hasta obtener una pasta suave. Con cuidado, esparza varias cucharadas de pasta en el molde, sobre la salsa de chocolate.

5 Cueza el bizcocho en el horno precalentado a 180 °C durante 35 minutos, hasta que esté esponjoso.

6 Déjelo reposar 5 minutos y, a continuación, desmóldelo sobre una fuente redonda.

4

2

3

soufflé de chocolate

para 4 personas

100 g de chocolate negro
300 ml de leche
25 g de mantequilla
4 huevos grandes, con la yema separada de la clara
1 cucharada de harina de maíz
4 cucharadas de azúcar lustre
½ cucharadita de esencia de vainilla
100 g de gotas de chocolate negro
azúcar lustre y glasé, para decorar

CREMA DE CHOCOLATE
2 cucharadas de harina de maíz
1 cucharada de azúcar lustre
450 ml de leche
50 g de chocolate negro

1 Engrase un molde para soufflé de 850 ml y espolvoréelo con azúcar lustre. Trocee el chocolate.

2 En un cazo, caliente la leche y la mantequilla sin dejar que hierva. En un bol, bata las yemas con la harina y el azúcar; vierta un poco de la leche caliente, sin dejar de batir. Vuelva a ponerlo en el cazo y caliéntelo a fuego lento, sin dejar de remover, hasta que se espese. Añada el chocolate y remueva hasta que se haya fundido. Retírelo del fuego y añada la esencia de vainilla.

3 Bata las claras a punto de nieve. Incorpore la mitad en la mezcla de chocolate, y después la otra mitad y las gotas de chocolate. Vierta la pasta en el molde y cueza el soufflé en el horno precalentado a 180 °C durante 40-45 minutos, hasta que haya subido.

4 Mientras tanto, para preparar la crema, mezcle la harina de maíz y el azúcar en un bol pequeño; añada un poco de leche, hasta obtener una pasta suave. Caliente el resto de la leche sin dejar que hierva. Vierta un poco sobre la harina, mézclelo bien y devuélvalo al cazo. Cuézalo a fuego lento, sin dejar de remover, hasta que se espese. Incorpore el chocolate en trozos y remueva hasta que se funda.

5 Espolvoree el soufflé con el azúcar y sírvalo inmediatamente con la crema de chocolate.

pudín de chocolate y nueces

para 4 personas

55 g de margarina

6 cucharadas de azúcar moreno ligero

2 huevos batidos

350 ml de leche

50 g de nueces picadas

5 cucharadas de harina blanca

2 cucharadas de cacao en polvo

azúcar glasé y cacao en polvo, para decorar

1 Engrase ligeramente una fuente de horno de 1 litro de capacidad.

2 Bata la margarina con el azúcar hasta obtener una consistencia esponjosa. Incorpore los huevos.

3 Vierta la leche poco a poco, batiendo. Añada las nueces.

4 Tamice la harina y el cacao e incorpórelo a la pasta, mezclando con una cuchara de metal, hasta que adquiera una consistencia homogénea.

5 Vierta la pasta en la fuente y cueza el pudín en el horno precalentado a 180 ºC durante unos 35-40 minutos.

6 Espolvoréelo con azúcar glasé y cacao en polvo y sírvalo.

sabayón de chocolate

para 2 personas

4 yemas de huevo

4 cucharadas de azúcar lustre

50 g de chocolate negro

125 ml de marsala

cacao en polvo, para espolvorear

SUGERENCIA

Prepare el sabayón justo antes de servirlo, porque si se deja reposar, se corta. Si empieza a cuajar, puede salvarlo retirándolo de inmediato del fuego y colocándolo sobre un cuenco con agua fría para detener la cocción. Remueva vigorosamente hasta que la crema quede homogénea.

1 En un cuenco grande de cristal, bata las yemas de huevo y el azúcar con las varillas eléctricas hasta obtener una pasta de color muy pálido.

2 A continuación, ralle el chocolate bien fino y añádalo a la mezcla de huevo y azúcar.

3 Ahora, incorpore el vino a la mezcla anterior.

4 Coloque el cuenco sobre un cazo con agua caliente a fuego suave y bata el contenido con las varillas eléctricas a la velocidad mínima; si lo prefiere, también puede hacerlo con un batidor manual. Sin dejar de remover, caliente la crema hasta que se espese. No la cueza demasiado, porque el huevo podría cuajar (véase *Sugerencia*).

5 Vierta la crema en recipientes de cristal calientes y espolvoree con un poco de cacao en polvo. Sirva el sabayón a la mesa cuanto antes; es importante que esté caliente, ligero y esponjoso.

1

3

4

bizcocho de café al vapor

para 4 personas

25 g de margarina

2 cucharadas de azúcar moreno

2 huevos

5½ cucharadas de harina blanca

¾ cucharadita de levadura en polvo

6 cucharadas de leche

1 cucharadita de esencia de café

SALSA

300 ml de leche

1 cucharada de azúcar moreno

1 cucharadita de cacao en polvo

2 cucharadas de harina de maíz

1 Engrase un molde de pudín de 600 ml. Bata la margarina y el azúcar hasta obtener una mezcla ligera y esponjosa e incorpore los huevos.

2 Incorpore la harina y la levadura poco a poco. Añada la leche y la esencia de café, y mezcle bien hasta obtener una pasta homogénea.

3 Vierta la pasta en el molde, cúbralo con una hoja de papel vegetal, luego con otra de papel de aluminio, y sujételas con un cordel alrededor del molde. Póngalo en un recipiente para cocción al vapor y cuézalo, tapado, durante 1-1¼ horas o hasta que esté hecho.

4 Para la salsa, ponga en un cazo la leche, el azúcar y el cacao, y caliéntelo hasta disolver el azúcar. Mezcle la harina de maíz con 4 cucharadas de agua fría para obtener una pasta y añádala al el cazo. Llévelo a ebullición removiendo continuamente hasta que se espese. Mantenga la salsa 1 minuto más a fuego lento.

5 Dele la vuelta al pudín sobre una fuente y vierta la salsa por encima.

SUGERENCIA

El bizcocho se cubre con papel vegetal y papel de aluminio para que suba. El aluminio puede reaccionar con el vapor, por lo que no debe estar en contacto directo con el bizcocho.

pudín de chocolate al ron

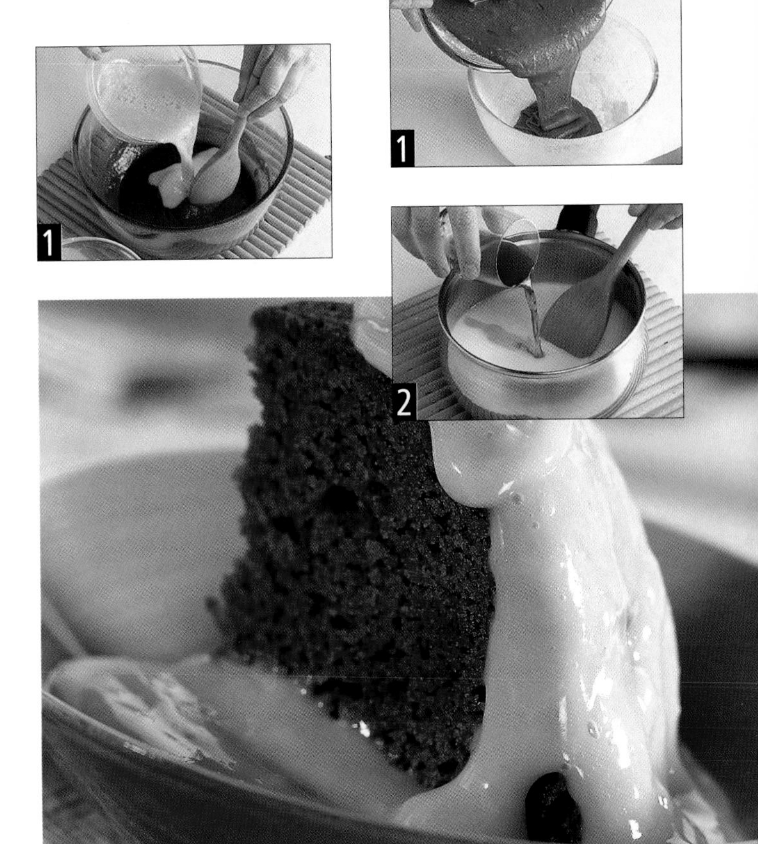

para 4 personas

55 g de mantequilla sin sal
175 g de harina de fuerza
55 g de chocolate negro
¼ cucharadita de esencia de vainilla
115 g de azúcar lustre
2 huevos ligeramente batidos
5 cucharadas de leche

SALSA
300 ml de leche
2 cucharadas de harina de maíz
2 cucharadas de azúcar lustre
2 cucharadas de ron oscuro

1 Engrase y enharine un molde de pudín de 1,2 litros. En un cazo, derrita al baño María la mantequilla, el chocolate y la esencia de vainilla, removiendo con suavidad. Cuando todo esté bien fundido, apártelo del fuego y deje que se entibie. Incorpore el azúcar y luego los huevos. Añada la harina tamizada, agregue la leche y mézclelo todo bien. Vierta la pasta en el molde preparado y cúbralo con papel vegetal y luego con papel de aluminio. Sujételo alrededor del molde con un cordel. Cueza el pudín al vapor durante 1 hora, añadiendo agua hirviendo si es necesario.

2 Para la salsa, caliente la leche en un cazo pequeño, a fuego medio. Incorpore la harina de maíz y el azúcar, y remueva hasta que se disuelva. Llévelo a ebullición, sin dejar de remover, y baje el fuego. Cuando la salsa esté espesa y homogénea, apártela del fuego e incorpore el ron.

3 Aparte el pudín del fuego y retire el papel de aluminio y el vegetal. Pase un cuchillo de punta redonda por los bordes del molde, coloque una fuente encima y, sujetándolos juntos, Deles la vuelta. Sirva el pudín inmediatamente, con la salsa de ron aparte.

pudines de chocolate con salsa de nata

para 6 personas

125 g de mantequilla ablandada
150 g de azúcar moreno
3 huevos batidos
1 pizca de sal
25 g de cacao en polvo
125 g de harina de fuerza
25 g de chocolate negro rallado
75 g de chocolate blanco rallado

SALSA

150 ml de nata espesa
75 g de azúcar moreno
25 g de mantequilla

1 Engrase ligeramente 6 moldes de pudín individuales de 175 ml.

2 Bata la mantequilla con el azúcar en un cuenco hasta obtener una crema de un tono claro y esponjosa. Incorpore el huevo poco a poco, batiendo enérgicamente.

3 Incorpore en la mezcla la sal, la harina y el cacao en polvo tamizados. Añada el chocolate rallado y mezcle bien.

3

3

4 Vierta la pasta en los moldes preparados. Engrase ligeramente 6 trozos cuadrados de papel de aluminio y cubra con ellos los moldes. Apriete el papel en los bordes para cerrarlos bien.

5 Coloque los moldes en una fuente y vierta en ella agua hirviendo de modo que les llegue hasta la mitad.

5

6 Cueza los pudines en el horno precalentado a 180 °C durante 50 minutos, o hasta que al insertar un pincho de cocina en el centro éste salga limpio.

7 Saque los moldes de la fuente, pero no desmolde los pudines.

8 Para preparar la salsa, lleve a ebullición la nata, el azúcar y la mantequilla en un cazo, a fuego lento. Déjelo hervir hasta que se disuelva el azúcar.

9 Antes de servir los pudines, pase un cuchillo de punta redonda por los bordes de cada molde y luego Deles la vuelta sobre los platos. Cúbralos con la salsa y sírvalos.

kebabs de fruta tropical

para 4 personas

SALSA

125 g de chocolate negro troceado

2 cucharadas de melaza de caña

1 cucharada de cacao en polvo

1 cucharada de harina de maíz

200 ml de leche

BROCHETAS

1 mango

1 papaya

2 kiwis

½ piña pequeña

1 plátano grande

2 cucharadas de zumo de limón

150 ml de ron blanco

1 Vierta todos los ingredientes de la salsa de chocolate en un cazo de base gruesa. Caliéntelo a fuego lento sin dejar de remover, hasta que se espese y adquiera una consistencia homogénea. Mantenga la salsa caliente junto a la barbacoa.

2 Corte el mango por la mitad alrededor del hueso. Corte la pulpa en dados y pélelos. Parta la papaya por la mitad, retire las semillas, pélela y trocéela. Pele los kiwis y la piña y trocéelos. Pele el plátano, córtelo en rodajas y bañe los trozos con el zumo de limón uniformemente para que no se ennegrezcan.

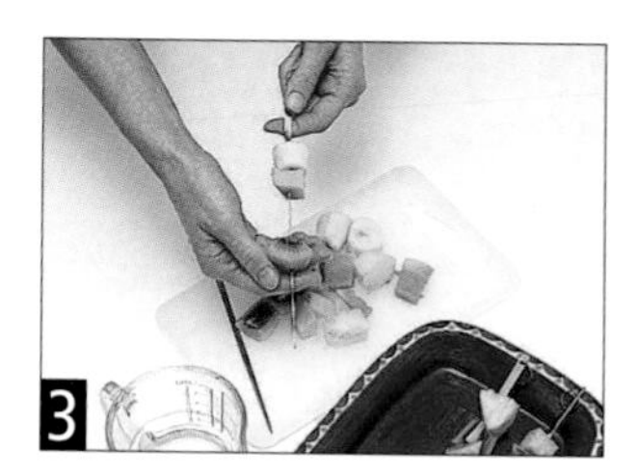

3 Ensarte los trozos de fruta en cuatro brochetas de madera. Colóquelas en una fuente llana y vierta el ron por encima. Déjelas macerar al menos 30 minutos antes de asarlas.

4 Ase los *kebabs* en la barbacoa unos 2 minutos, dándoles la vuelta varias veces, hasta que queden marcados. Sírvalos con la salsa de chocolate caliente para acompañar.

nectarinas rellenas

para 6 personas

85 g de chocolate negro al 75%

55 g de galletas de almendra desmenuzadas

1 cucharadita de ralladura de limón

1 clara de huevo grande

6 cucharadas de licor amaretto

6 nectarinas partidas por la mitad

300 ml de vino blanco

55 g de chocolate con leche rallado

nata montada o helado de chocolate o de vainilla, para acompañar

1 Mezcle el chocolate, las galletas desmenuzadas y la ralladura de limón en un cuenco. Bata la clara de huevo ligeramente e incorpórela en la mezcla junto con la mitad del licor. Con un cuchillo pequeño y afilado, retire un poco de pulpa de las nectarinas para rellenarlas mejor. Incorpore la pulpa en la mezcla de chocolate y galleta.

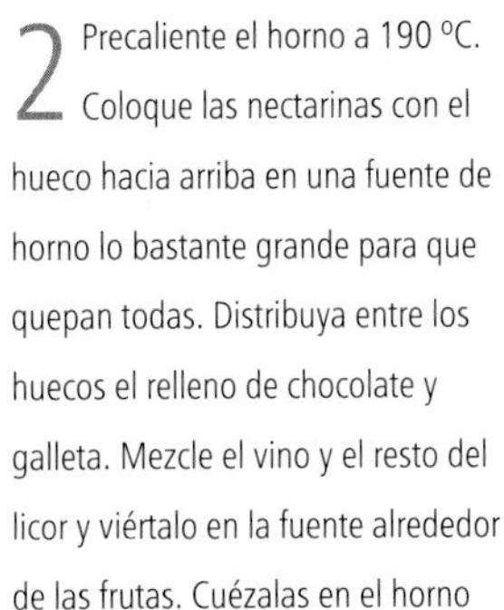

2 Precaliente el horno a 190 °C. Coloque las nectarinas con el hueco hacia arriba en una fuente de horno lo bastante grande para que quepan todas. Distribuya entre los huecos el relleno de chocolate y galleta. Mezcle el vino y el resto del licor y viértalo en la fuente alrededor de las frutas. Cuézalas en el horno precalentado unos 40-45 minutos, hasta que estén tiernas. Ponga 2 mitades de nectarina en cada plato individual y rocíelas con un poco de la salsa de cocción. Espolvoréelas con el chocolate con leche rallado y sírvalas a la mesa con la nata montada o, si así lo prefiere, con helado de vainilla o de chocolate.

1

1

2

empanadas de plátano

para 4 personas

unas 8 hojas de pasta filo cortadas en dos a lo largo
mantequilla fundida o aceite vegetal para pintar la pasta
2 plátanos maduros
1-2 cucharadas de azúcar
el zumo de ½ limón
175-200 g de chocolate negro, troceado
azúcar glasé, para espolvorear
canela molida, para espolvorear

SUGERENCIA

Si prefiere que los triángulos queden abombados, utilice pasta de hojaldre en lugar de pasta filo.

1 Pinte los rectángulos de pasta filo uno por uno con mantequilla o aceite vegetal.

2 Pele los plátanos, córtelos en dados y colóquelos en un cuenco. A continuación, añada el azúcar y el zumo de limón y mézclelo todo bien. Incorpore el chocolate.

3 Ponga en una esquina de una hoja de pasta filo dos cucharadas de la mezcla; doble la hoja para formar un triángulo, procurando que el relleno no se escape. Siga doblando la hoja y formando triángulos hasta que el relleno quede bien envuelto.

3

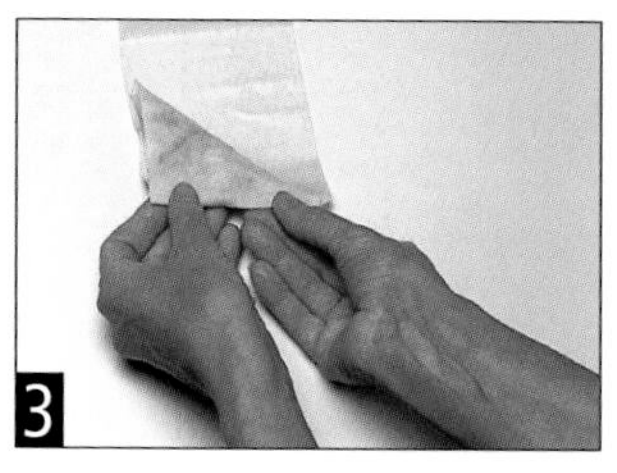

3

4

4 Espolvoree el triángulo con azúcar y canela, y colóquelo sobre papel vegetal. Repita los mismos pasos con el resto del relleno y de la pasta filo.

5 Cueza las pastas en el horno precalentado a 190 °C durante 15 minutos, o hasta que estén doradas. Sáquelas del horno y sírvalas calientes No olvide advertir a los comensales que el relleno estará muy caliente.

peras con salsa de chocolate

para 4 personas

4 peras

1-2 cucharadas de zumo de limón

300 ml de agua

5 cucharadas de azúcar lustre

1 rama de canela de 5 cm

2 clavos

200 ml de nata espesa

125 ml de leche

140 g de azúcar moreno claro

2 cucharadas de mantequilla sin sal

2 cucharadas de sirope de arce

200 g de chocolate negro troceado

1 Pele las peras. Retire con cuidado el corazón de cada una desde la base, dejando los rabillos intactos. Bañe las peras con el zumo de limón para que no se oscurezcan.

2 Vierta el agua en una cazuela grande de base gruesa y añada el azúcar lustre. Remueva a fuego lento hasta que se disuelva el azúcar. Añada las peras, la canela en rama y los clavos y llévelo a ebullición. (Si las peras no quedan cubiertas por el agua, añada más.) Baje la temperatura y deje que hiervan unos 20 minutos.

3 Mientras tanto, vierta la nata y la leche en otra cazuela de base gruesa y añada el azúcar moreno, la mantequilla y el sirope. Caliéntelo a fuego lento, removiendo, hasta que el azúcar se haya disuelto y la mantequilla se funda. Déjelo hervir 5 minutos, sin dejar de remover, hasta que la mezcla quede homogénea y espesa. Aparte la cazuela del fuego e incorpore el chocolate poco a poco, esperando a que se funda antes de añadir más. Reserve.

4 Coloque las peras en los platos. Hierva el líquido de cocción hasta reducirlo. Retire la canela y los clavos y vierta el líquido en la salsa de chocolate. Rocíe con ella las peras y sírvalas.

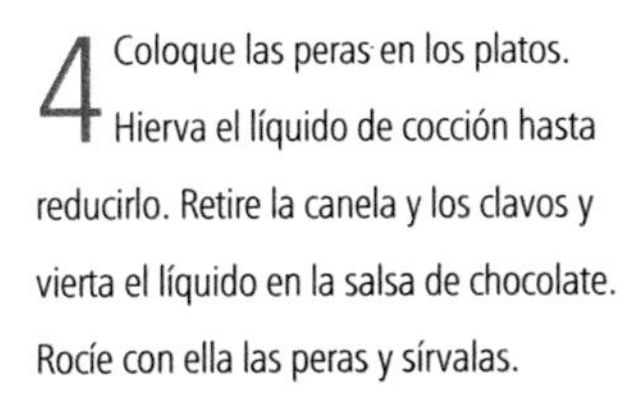

crepes de chocolate con salsa de frutas rojas

para 6 personas

85 g de harina blanca
1 cucharada de cacao en polvo
1 cucharadita de azúcar lustre
2 huevos ligeramente batidos
175 ml de leche
2 cucharaditas de ron oscuro
140 g de mantequilla sin sal
azúcar glasé para espolvorear

RELLENO
5 cucharadas de nata espesa
225 g de chocolate negro
3 huevos, las claras separadas de las yemas
2 cucharadas de azúcar lustre

SALSA
25 g de mantequilla
4 cucharadas de azúcar lustre
150 ml de zumo de naranja
225 g de bayas como frambuesas, moras y fresas
3 cucharadas de ron blanco

1 Para preparar la pasta, tamice la harina, el cacao y el azúcar en un cuenco. Forme un volcán y vierta el huevo en el hoyo; mézclelo todo poco a poco. Añada la leche y bata hasta obtener una mezcla homogénea. Añada el ron.

2 Funda la mantequilla y añada 2 cucharadas a la pasta. Cúbrala con film transparente y déjela reposar durante 30 minutos.

3 Para preparar las crepes, unte una sartén antiadherente con mantequilla fundida y caliéntela a fuego medio. Remueva la pasta y vierta 3 cucharadas en la sartén, moviéndola para cubrir toda la base. Cuézala unos 2 minutos, o hasta que esté dorada por debajo. Dele la vuelta, cuézala otros 30 segundos más y deslícela sobre el plato. Prepare 11 crepes más de la misma manera. Apílelas, separándolas con papel vegetal.

3

4 Para el relleno, vierta la nata en una cazuela de base gruesa, añada el chocolate y fúndalo a fuego lento, removiendo. Retire la cazuela del fuego. Bata las yemas con la mitad del azúcar en un cuenco resistente al calor; añada el chocolate y deje que se enfríe.

5 En otro cuenco, monte las claras a punto de nieve, añada el resto del azúcar y siga montándolas. Mezcle una cucharada con la crema de chocolate y luego vierta esta última sobre el resto de las claras y mézclelo todo bien.

6 Precaliente el horno a 200 °C. Engrase una bandeja de horno con mantequilla fundida. Ponga una cucharada de relleno sobre una crepe y dóblela dos veces seguidas para obtener un triángulo. Proceda de igual modo con el resto de las crepes. Píntelas con el resto de la mantequilla fundida, colóquelas sobre la bandeja y cuézalas unos 20 minutos.

7 Para la salsa de frutas, funda la mantequilla en una sartén a fuego lento. Añada el azúcar y, cuando esté dorado, incorpore el zumo de naranja y cueza hasta que adquiera consistencia de jarabe. Añada las bayas removiendo suavemente. Agregue el ron. Caliéntelo 1 minuto más y flambéelo. No deje de mover la sartén hasta que se apaguen las llamas. Reparta las crepes entre los platos y espolvoréelas con azúcar glasé. Rocíelas con un poco de salsa y sírvalas enseguida.

bizcocho de arándanos

para 4 personas

55 g de mantequilla sin sal
4 cucharadas de azúcar moreno oscuro y 2 cucharaditas más para espolvorear
85 g de arándanos (descongelados si son congelados)
1 manzana grande para asar
2 huevos ligeramente batidos
85 g de harina de fuerza
3 cucharadas de cacao en polvo
SALSA
175 g de chocolate negro troceado
400 ml de leche evaporada
1 cucharadita de esencia de vainilla
½ cucharadita de esencia de almendra

1 Engrase un molde de para pudín de 1,2 litros de capacidad, espolvoree los bordes con azúcar moreno y sacuda para retirar el que sobre. Introduzca los arándanos en un bol. Pele la manzana, quítele el corazón y córtela en dados. Mézclela con los arándanos. Pase la fruta al molde preparado.

2 Mezcle la mantequilla, el azúcar moreno y el huevo en un cuenco. Tamice la harina e incorpórela, batiendo bien. Vierta la pasta en el molde sobre la fruta. Cubra el molde con papel de aluminio y sujételo con un cordel. Cueza el bizcocho al vapor sobre un recipiente con agua durante 1 hora o hasta que suba, añadiendo más agua si hace falta.

2

3

3 Mientras tanto, para preparar la salsa, funda el chocolate con la leche al baño María, removiendo. Apártelo del fuego e incorpore las esencias de vainilla y almendra. Continúe removiendo hasta obtener una mezcla espesa y homogénea.

4 Para servir el pudín, retire el papel de aluminio. Pase un cuchillo de punta redonda por los bordes del molde, coloque una fuente encima y, sujetándolos juntos, Deles la vuelta con cuidado. Sirva el bizcocho enseguida, con la salsa aparte.

castillos de chocolate

para 4 personas

40 g de mantequilla

3 cucharadas de azúcar lustre

1 huevo grande, ligeramente batido

85 g de harina de fuerza

55 g de chocolate negro fundido

SALSA

2 cucharadas de cacao en polvo

2 cucharadas de harina de maíz

150 ml de nata líquida

300 ml de leche

1-2 cucharadas de azúcar moreno oscuro

1 Unte con mantequilla 4 flaneras o boles refractarios pequeños. En un cuenco, bata la mantequilla y el azúcar hasta obtener una mezcla esponjosa de tono claro. Incorpore el huevo poco a poco, batiendo bien tras cada adición.

2 Tamice la harina en un cuenco aparte e incorpórela a la mezcla de mantequilla con una cuchara metálica. Añada el chocolate. Vierta la pasta en los moldes, llenándolos hasta dos terceras partes para permitir que suba durante la cocción. Cubra cada uno con papel de aluminio y sujételo al molde con un cordel.

3 Introduzca los moldes en una vaporera con agua hirviendo y cueza unos 40 minutos. Controle el nivel del agua de vez en cuando y añada más si es necesario. Evite que la cazuela se quede sin agua.

4 Para la salsa, disponga el cacao, la harina de maíz, la nata y la leche en una cazuela de base gruesa. Llévelo a ebullición, baje el fuego y cuézalo sin dejar de remover hasta que la salsa quede espesa y homogénea. Manténgala al fuego 2-3 minutos más y añada el azúcar moreno. Vierta la salsa en una salsera.

5 Extraiga los moldes de la vaporera y retire el papel de aluminio. Pase un cuchillo de punta redonda por los bordes de los moldes y vuelque los pudines sobre platos calientes. Sírvalos inmediatamente con la salsa aparte.

helado italiano anegado

para 4 personas

unos 450 ml de café exprés
granos de café bañados en chocolate para decorar

HELADO DE VAINILLA
1 vaina de vainilla
6 yemas de huevo grandes
150 g de azúcar lustre o con aroma de vainilla (azúcar guardado con una vaina de vainilla durante un tiempo)
500 ml de leche
250 ml de nata espesa y 2 cucharadas adicionales

1 Para hacer el helado, corte la vaina de vainilla a lo largo y, con un cuchillo, raspe los diminutos granos de color marrón. Reserve.

1

2 Ponga las yemas y el azúcar en un cuenco resistente al calor y bata hasta obtener una mezcla cremosa y espesa.

3 Ponga la leche, la nata y la vaina de vainilla partida en un cazo, y llévelo a ebullición. Incorpore la leche en el bol, sin dejar de batir. A continuación, llene la cazuela con agua hasta 2,5 cm de altura. Coloque el cuenco encima procurando que la base no toque el agua. Caliente el agua a fuego medio.

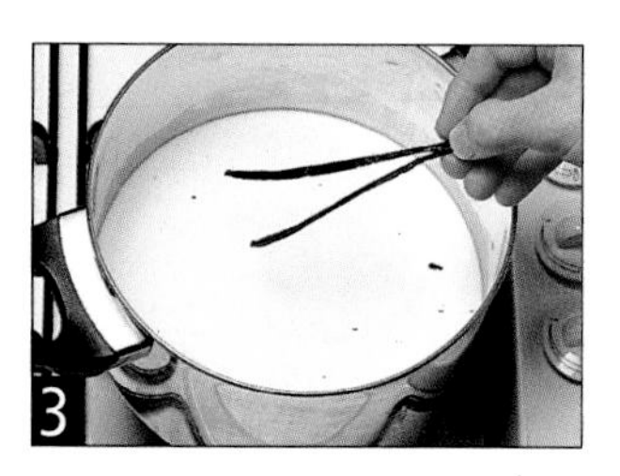
3

4 Cueza la crema, removiendo, hasta que haya adquirido una consistencia espesa, de modo que recubra el dorso de la cuchara. Apártela del fuego, viértala en otro cuenco y deje que se enfríe.

4

5 Vierta la crema en una heladora, siguiendo las instrucciones del aparato. A falta de heladora, viértala en un recipiente y enfríela en el congelador durante una hora. Saque el helado del recipiente y bátalo para romper los cristales de hielo. A continuación, vuelva a introducirlo en el congelador y repita el proceso cuatro veces más, a intervalos de unos 30 minutos.

6 Pase el helado a un recipiente para congelar, alise la superficie y cúbralo con film transparente o papel de aluminio. En el congelador se puede conservar hasta 3 meses.

7 Antes de servirlo, introduzca el helado en el frigorífico durante 20 minutos para que se ablande. Reparta varias bolas de helado en cada bol. Rocíelas con café caliente y adorne con los granos de café.

salsa de chocolate para fruta

para 4 personas

surtido de fruta (naranja, plátano, fresas, piña fresca o en almíbar, manzana, pera, kiwi)

1 cucharada de zumo de limón

SALSA DE CHOCOLATE

55 g de mantequilla

50 g de chocolate negro en trozos pequeños

½ cucharada de cacao en polvo

2 cucharadas de melaza de caña

GLASEADO

4 cucharadas de miel líquida

la ralladura y el zumo de ½ naranja

1 Para preparar la salsa de chocolate, caliente ligeramente la mantequilla, el chocolate, el cacao en polvo y la melaza de caña en un cazo pequeño, a fuego muy lento, o en una esquina de la barbacoa. No deje de remover hasta que los ingredientes se hayan fundido y mezclado bien.

2 Pele la fruta y retire el corazón si es necesario; corte la pulpa en trozos medianos o grandes según el tipo de fruta. Bañe la manzana, la pera, y el plátano con el zumo de limón para evitar que se oscurezcan. Ensarte la fruta en 4 brochetas metálicas.

3 Para el glaseado, mezcle la miel con el zumo de naranja, calentándolo ligeramente si es necesario. Aplíquelo sobre los trozos de fruta con un pincel de modo que queden completamente cubiertos.

4 Ase las brochetas sobre la rejilla de la barbacoa durante unos 5 -10 minutos, hasta que estén calientes. Sírvalas a la mesa con la salsa de chocolate.

salsa de chocolate cremosa

para 225 ml de salsa

150 ml de nata espesa

55 g de mantequilla sin sal, cortada en dados

3 cucharadas de azúcar lustre

175 g de chocolate blanco troceado

2 cucharadas de brandy

1 Vierta la nata en un recipiente para baño María o en un bol de vidrio resistente al calor colocado sobre una cazuela con agua hirviendo a fuego lento. Añada la mantequilla y el azúcar lustre y remueva sin parar, con una cuchara de madera, hasta que la mezcla adquiera una consistencia homogénea. Reserve.

1

1

2

2 Incorpore el chocolate poco a poco, dejando que los trozos se fundan completamente antes de añadir más. Agregue el brandy y remueva la salsa hasta que quede homogénea. Déjela enfriar a temperatura ambiente antes de servirla.

salsa de chocolate brillante

para 150 ml de salsa

100 g de azúcar lustre

4 cucharadas de agúa

175 g de chocolate negro troceado

25 g de mantequilla sin sal cortada en dados

2 cucharadas zumo de naranja

1 Ponga el azúcar y el agua en un cazo de base gruesa y, a fuego lento, remueva hasta que se disuelva el azúcar. Incorpore el chocolate poco a poco, dejando que los trozos se fundan completamente antes de volver a añadir. Agregue la mantequilla del mismo modo que el chocolate. Evite que la mezcla llegue a hervir.

1

1

2

2 Añada el zumo de naranja, y aparte el cazo del fuego. Sirva la salsa enseguida, o manténgala caliente hasta el momento de llevarla a la mesa. Si lo prefiere, déjela enfriar, viértala en un recipiente para el congelador y consérvela congelada hasta 3 meses. Para recalentarla y servirla, deje que se descongele a temperatura ambiente.

salsa de chocolate francesa

para 150 ml de salsa

6 cucharadas de nata espesa
85 g de chocolate negro en trozos pequeños
2 cucharadas de licor de naranja

1 En un cazo de base gruesa, lleve la nata a ebullición a fuego lento. Aparte el cazo del fuego y agregue el chocolate, removiendo, hasta que la salsa quede homogénea.

2 Añada el licor de naranja, vierta la salsa en una jarrita resistente al calor y sírvala enseguida. Si lo prefiere, mantenga la salsa caliente hasta el momento de servirla.

1

1

2

Postres fríos

Elegantes, cremosos, espléndidos y caprichosos son sólo algunos de los calificativos que pueden surgir al pensar en los postres fríos de chocolate. Las recetas incluidas en este capítulo los reúnen todos.

Algunos de estos postres son sorprendentemente rápidos y fáciles de preparar, mientras que otros resultan algo más laboriosos. Otra de las ventajas que ofrecen todos ellos es que se pueden preparar con antelación, incluso varios días antes, lo que permite pasar más tiempo con los invitados. En algunos casos, lo único que queda por hacer en el último momento es una decoración rápida. Incluso el bizcocho Alaska helado se puede preparar por adelantado y poner en el horno justo antes de servirlo.

terrina helada de chocolate blanco

Para 8-10 personas

2 cucharadas de azúcar granulado
5 cucharadas de agua
300 g de chocolate blanco
3 huevos, con las yemas separadas
300 ml de nata espesa

SUGERENCIA

Para preparar una salsa, bata 225 g de fruta blanda (fresas, arándanos, grosellas, mango o frambuesa), con 1-2 cucharadas de azúcar glasé, hasta obtener un puré. Si hubiera semillas, páselo por un tamiz. Puede refrigerarse hasta el momento de servir.

1 Forre un molde rectangular de 450 g de capacidad con papel de aluminio o plástico de cocina, procurando que quede lo menos arrugado posible.

2 En un cazo de base gruesa, caliente a fuego lento el azúcar con el agua, removiendo, hasta que el azúcar se disuelva. Llévelo a ebullición y déjelo 1-2 minutos, hasta que esté almibarado; retírelo del fuego.

3 Trocee el chocolate e incorpórelo al almíbar. Siga removiendo hasta que el chocolate se funda y quede todo bien mezclado. Deje que se entibie.

4 Incorpore las yemas en el almíbar de chocolate. Déjelo enfriar por completo.

5 Bata la nata hasta que quede cremosa y mézclela con la preparación de chocolate.

6 En un cuenco, monte las claras a punto de nieve. Incorpórelas a la crema. Vierta la mousse en el molde y déjela toda la noche en el congelador.

7 Retire la terrina del congelador unos 10-15 minutos antes de servirla. Desmóldela con la ayuda del plástico o del papel de aluminio y sírvala cortada en rodajas.

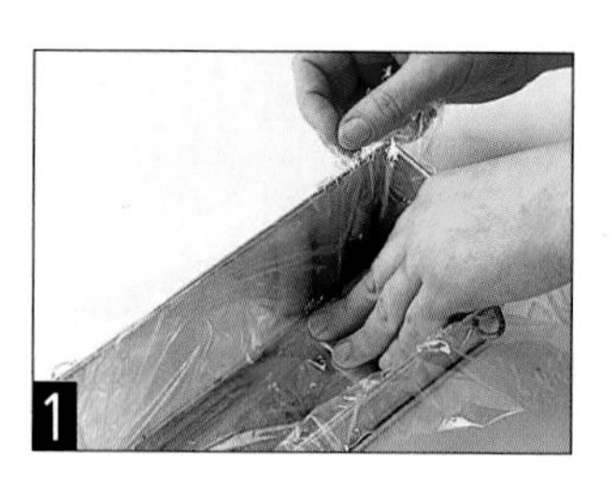

pastel de queso con plátano y coco

para 10 personas

225 g de *cookies* con chocolate
55 g de mantequilla
350 g de queso cremoso semidesnatado
75 g de azúcar lustre
50 g de coco fresco, rallado
2 cucharadas de licor de coco
2 plátanos maduros
125 g de chocolate negro
1 sobrecito de gelatina
3 cucharadas de agua
150 ml de nata espesa
PARA DECORAR
1 plátano, zumo de limón y un poco de chocolate deshecho

SUGERENCIA

Para abrir el coco, agujeree 2 de los "ojos" y extraiga el líquido. Con un martillo, golpee fuertemente en el centro hasta que se agriete y haga palanca.

1 Introduzca las galletas en una bolsa de plástico y tritúrelas con un rodillo de cocina. Ponga las migas en un bol y mézclelas con la mantequilla derretida. Presione la mezcla sobre la base y los lados de un molde redondo desmontable de 20 cm de diámetro.

1

2 Bata bien el queso con el azúcar, y a continuación añada el coco rallado y el licor de coco. Prepare un puré con los 2 plátanos e incorpórelo a la pasta. Derrita el chocolate y añádalo también, sin dejar de batir en ningún momento.

2

3 Espolvoree la gelatina sobre el agua en un bol resistente al calor y, cuando se haya esponjado, colóquelo sobre un cazo con agua caliente. Remueva hasta que se haya disuelto. Incorpórela a la pasta. Bata la nata hasta que esté un poco espesa y añádala también. Extienda la pasta sobre la base de galleta y deje el pastel en la nevera hasta que cuaje.

4 Para servir, desmóldelo con cuidado sobre una fuente. Corte el plátano en rodajas, mójelo con zumo de limón y decore el borde del pastel. Rocíelo con el chocolate fundido y déjelo cuajar.

4

copas de chocolate al ron

Para 6 personas

225 g de chocolate negro
4 huevos, con las yemas separadas
75 g de azúcar lustre
4 cucharadas de ron oscuro
4 cucharadas de nata espesa

PARA DECORAR
un poco de nata montada (opcional)
adornos de chocolate (véase pág. 140)

1 Funda el chocolate y deje que se entibie.

2 Bata las yemas con el azúcar lustre durante 5 minutos con las varillas eléctricas, o un poco más si lo hace a mano, hasta obtener una crema pálida y esponjosa.

3 Añada el chocolate en chorritos, el ron y la nata líquida y mézclelo.

4 En un cuenco limpio, bata las claras a punto de nieve. Incorpórelas a la crema de chocolate en dos tandas. Reparta la mousse entre 6 copas o cualquier otro recipiente individual y deje que se enfríe en la nevera un mínimo de 2 horas.

5 Para servir, decore las copas con un poco de nata montada y adornos de chocolate.

terrinas de chocolate y avellana

para 6 personas

2 huevos

2 yemas de huevo

15 g de azúcar lustre

1 cucharadita de harina de maíz

600 ml de leche

75 g de chocolate negro

4 cucharadas de crema de chocolate con avellanas

PARA DECORAR

chocolate rallado o virutas rápidas de chocolate (véase pág. 7)

1 Bata los huevos con las yemas, el azúcar lustre y la harina de maíz hasta que esté todo bien mezclado. Caliente la leche, sin dejar que hierva.

2 Despacio y sin dejar de batir, incorpore la leche en la mezcla de huevo. Derrita el chocolate y la crema en un bol colocado sobre un cazo con agua, a fuego lento, e incorpórelo también.

3 Viértalo en 6 terrinas para el horno y tápelas con papel de aluminio. Colóquelas en una fuente y llénela con agua hirviendo hasta la mitad de la altura de las terrinas.

4 Cueza la crema en el horno precalentado a 170 °C durante 35-40 minutos. Retire las terrinas de la bandeja y déjelas enfriar. Refrigérelas hasta el momento de servir. Decórelas con chocolate rallado o con virutas.

3

2

3

postre de chocolate y queso

para 4 personas

300 ml de queso fresco desnatado
150 ml de yogur desnatado
2 cucharadas de azúcar glasé
4 cucharaditas de chocolate en polvo bajo en grasa
4 cucharaditas de cacao en polvo
1 cucharadita de esencia de vainilla
2 cucharadas de ron oscuro (opcional)
2 claras de huevo medianas
4 adornos de chocolate (véase pág. 121)

PARA SERVIR
rodajas de kiwi, plátano y naranja
fresas y frambuesas

1 Mezcle el queso y el yogur en un cuenco. Tamice el azúcar, el chocolate y el cacao en polvo, y añádalos, mezclando bien.

2 Agregue la esencia de vainilla y el ron (en caso de utilizarlo).

3 Bata las claras de huevo en un bol y, con una cuchara metálica, incorpórelas a la mezcla de chocolate.

4 Vierta la crema en cuatro boles pequeños de porcelana y déjela enfriar en el frigorífico durante unos 30 minutos.

5 Decore cada bol con un adorno de chocolate y sirva la crema acompañada de un surtido de fruta fresca, como rodajas de kiwi, naranja y plátano, y fresas y frambuesas enteras.

1

3

postre de chocolate rápido

para 4 personas

125 ml de agua
4 cucharadas de azúcar lustre
175 g de chocolate negro troceado
3 yemas de huevo
300 ml de nata espesa
pastas, para servir

1 Vierta el agua en un cazo y añada el azúcar. Caliéntelo a fuego lento, removiendo, hasta que se disuelva el azúcar. Llévelo a ebullición y déjelo hervir 3 minutos más, sin remover. Aparte el cazo del fuego y déjelo entibiar.

2 Introduzca el chocolate en el recipiente de una batidora y añada el jarabe caliente. Bata hasta que se funda el chocolate y añada las yemas. Siga batiendo hasta obtener una mezcla homogénea. Al final, agregue la nata y bata hasta que esté completamente incorporada.

3 Vierta la crema en cuatro copas o boles individuales, cúbralas con film transparente y manténgalas en el frigorífico 2 horas hasta que cuaje la crema. Sírvalas con pastas, según su preferencia.

mousse de champán

para 4 personas

BIZCOCHO

4 huevos

100 g de azúcar lustre

75 g de harina de fuerza

15 g de cacao en polvo

25 g de mantequilla fundida

MOUSSE

1 sobrecito de gelatina

3 cucharadas de agua

300 ml de champán o cava

300 ml de nata espesa

2 claras de huevo

6 cucharadas de azúcar lustre

PARA DECORAR

55 g de cobertura con sabor a chocolate, fundida, para decorar

1 Forre con papel vegetal engrasado un molde llano de 37,5 x 25 cm. En un bol, bata los huevos y el azúcar con las varillas eléctricas hasta que la mezcla quede muy espesa, de manera que al levantar las varillas se desprenda un hilo que tarde en caer. Si utiliza un batidor manual, coloque el bol sobre un cazo con agua caliente mientras bate. Tamice la harina con el cacao e incorpórelo. Añada la mantequilla. Vierta la pasta en el molde y cueza el bizcocho en el horno precalentado a 200 °C, 8 minutos o hasta que quede esponjoso. Al cabo de 5 minutos, desmóldelo y déjelo enfriar sobre una rejilla metálica. Forre 4 aros de 10 cm para hornear con papel vegetal. Forre los lados con tiras de 2,5 cm de bizcocho, y la base, con círculos.

2 Espolvoree la gelatina sobre el agua y déjela que se esponje. Coloque el bol sobre un cazo con agua caliente y remueva hasta que se haya disuelto. Añada el champán.

3 Bata la nata hasta que empiece a espesarse. Incorpórela a la gelatina. Manténgalo en un lugar fresco hasta que esté casi a punto de cuajar, removiendo. Monte las claras a punto de nieve, añada el azúcar y bata hasta que esté reluciente. Añada la crema a punto de cuajar. Rellene los moldes. Déjelos 2 horas en la nevera. Introduzca la cobertura de chocolate en un cucurucho de papel, corte la punta y dibuje formas sobre una hoja de papel vegetal. Déjelas cuajar y, después, decore la mousse.

3

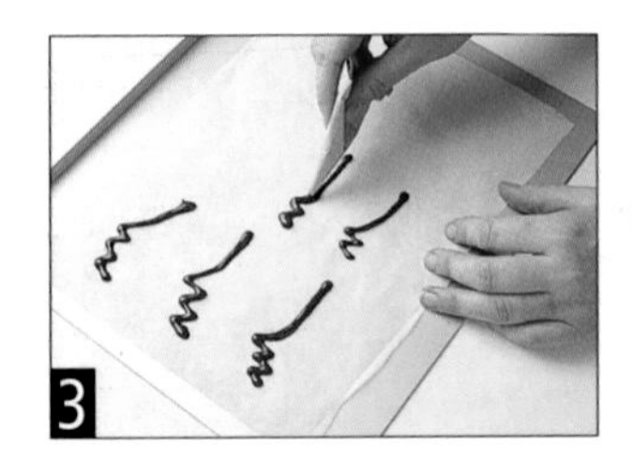

postre de la Selva Negra

para 6-8 personas

6 rebanadas finas de brazo de gitano relleno de crema de chocolate y mantequilla
800 g de cerezas en conserva
2 cucharadas de kirsch
1 cucharada de harina de maíz
2 cucharadas de azúcar lustre
425 ml de leche
3 yemas de huevo
1 huevo entero
75 g de chocolate negro
300 ml de nata espesa, ligeramente montada

PARA DECORAR
virutas de chocolate negro
cerezas marrasquino (opcional)

1 Coloque las rebanadas de brazo de gitano en el fondo de una fuente grande para servir.

2 Escurra las cerezas, reservando 6 cucharadas del jugo. Esparza las cerezas y vierta el jugo reservado sobre las rebanadas de brazo de gitano. A continuación, rocíelas con el kirsch.

2

3 En un bol, mezcle la harina de maíz con el azúcar lustre. Añada leche suficiente para formar una pasta suave. Incorpore las yemas y el huevo entero.

4 Caliente el resto de la leche sin que llegue a hervir y añádala despacio a la mezcla de huevo. Bátalo, hasta que esté todo bien mezclado.

5 Caliente el bol al baño María, removiendo hasta que la crema se haya espesado. Agregue ahora el chocolate y mezcle.

6 Vierta la crema de chocolate sobre las cerezas. Cuando esté fría, extienda la nata por encima,formando remolinos con el dorso de una cuchara. Refrigérelo antes de decorarlo

6

7 Decore el postre con virutas de chocolate y cerezas marrasquino, si las utiliza.

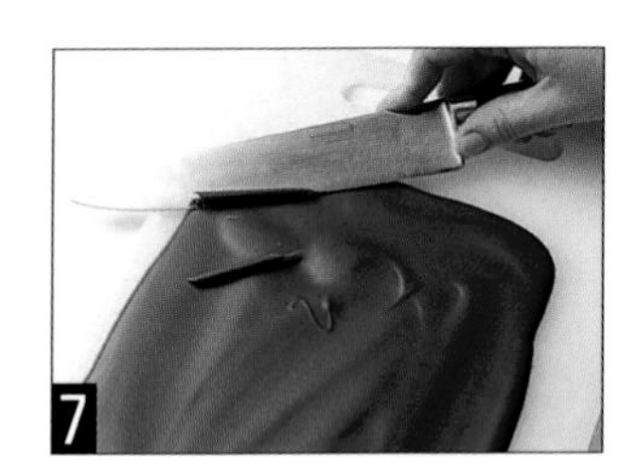
7

marquesa de chocolate

para 6 personas

200 g de chocolate negro

100 g de mantequilla

3 yemas de huevo

75 g de azúcar lustre

1 cucharadita de extracto o
1 cucharada de licor, de chocolate

300 ml de nata espesa

PARA SERVIR

nata fresca espesa

frutas bañadas en chocolate

cacao en polvo, para espolvorear

1

2

1 Trocee el chocolate y póngalo, junto con la mantequilla, en un bol colocado sobre un cazo con agua caliente. Remueva hasta que se haya fundido y mezclado todo. Retírelo del fuego y déjelo enfriar.

2 En un bol, bata las yemas con el azúcar hasta obtener una crema esponjosa y de un tono pálido. Con las varillas eléctricas a velocidad baja, incorpore poco a poco la mezcla de chocolate ya fría. Agregue el extracto o el licor de chocolate.

3 Monte la nata e incorpórela a la crema. Repártala entre 6 terrinas pequeñas individuales. Déjela en la nevera como mínimo 2 horas.

4 Desmolde las marquesas sobre los platos. Si no lo consigue, sumerja la parte inferior de los moldes en agua caliente unos segundos, para facilitar que el postre se desprenda. Sirva las marquesas acompañadas con fruta bañada en chocolate (véase pág. 54) y nata fresca espesa, y espolvoree con cacao en polvo.

crema de chocolate y menta

para 6 personas

300 ml de nata espesa
150 ml de queso fresco cremoso
2 cucharadas de azúcar glasé
1 cucharada de crema de menta
175 g de chocolate negro
chocolate negro, para decorar

SUGERENCIA

Puede dibujar directamente con el chocolate, o hacer primero un diseño con lápiz sobre el papel vegetal, darle la vuelta y reseguir los trazos con el chocolate.

1 Monte la nata espesa en un cuenco grande.

2 Incorpore el queso y el azúcar glasé, y a continuación vierta aproximadamente un tercio de la mezcla en un bol más pequeño. Vierta la crema de menta en el bol pequeño. Derrita el chocolate negro al baño María y mézclelo con el resto de la crema.

3 Reparta varias cucharadas de los dos tipos de crema entre las copas, removiendo para que se formen remolinos decorativos. Conserve el postre en la nevera hasta el momento de servirlo.

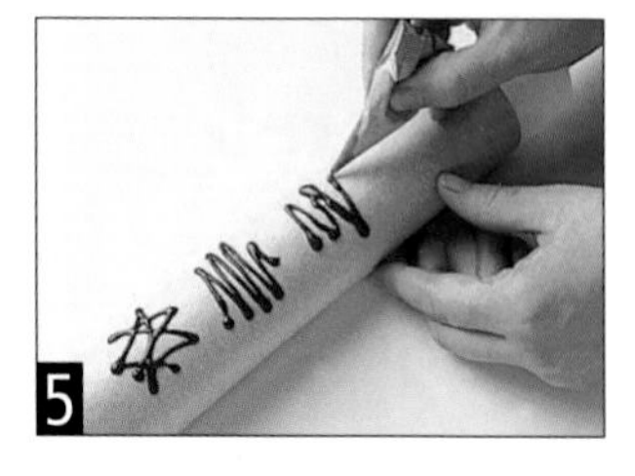

4 Para preparar los adornos, derrita un poco de chocolate negro e introdúzcalo en una manga pastelera.

5 Dibuje sobre papel vegetal unos trazos, estrellas o flores, con el chocolate fundido. Si prefiere adornos curvados, extienda el chocolate sobre una tira alargada de papel vegetal y colóquela con cuidado alrededor de un rodillo de cocina, sujetándola con cinta adhesiva. Deje cuajar el chocolate y retire los adornos del papel, con suavidad.

6 Decore las copas con los adornos de chocolate y sírvalas. Si lo prefiere, puede decorar primero el postre y después conservarlo en la nevera.

sundae de plátano y chocolate

para 4 personas

SALSA DE CHOCOLATE

55 g de chocolate negro

4 cucharadas de melaza de caña

15 g de mantequilla

1 cucharada de brandy o ron (opcional)

SUNDAE

4 plátanos

150 ml de nata espesa

8-12 bolas de helado de vainilla de buena calidad

75 g de almendras tostadas, fileteadas o picadas

chocolate rallado o en copos

4 galletas de abanico

1 Para preparar la salsa, trocee el chocolate y póngalo en un bol resistente al calor con el sirope y la mantequilla. Caliéntelo al baño María hasta que se funda, removiendo para mezclar. Retírelo del fuego y añada el brandy o el ron, si lo desea.

2 Bata la nata hasta que quede cremosa. Introduzca una bola de helado en cada copa. Coloque encima varias rodajas de plátano y vierta un poco de salsa de chocolate, una cucharada de nata y una pizca de almendra picada.

3 Repita otra vez la operación, y termine con una capa de nata. Esparza un poco de almendra por encima y espolvoree con chocolate rallado o en copos. Sirva las copas acompañadas con las galletas en forma de abanico.

helado de chocolate blanco en nido

para 6 personas

HELADO

1 huevo y la yema de otro

3 cucharadas de azúcar lustre

150 g de chocolate blanco

300 ml de leche

150 ml de nata espesa

NIDOS DE GALLETA

1 clara de huevo

4 cucharadas de azúcar lustre

2 cucharadas de harina tamizada

2 cucharadas de cacao en polvo tamizado

25 g de mantequilla fundida

chocolate negro fundido

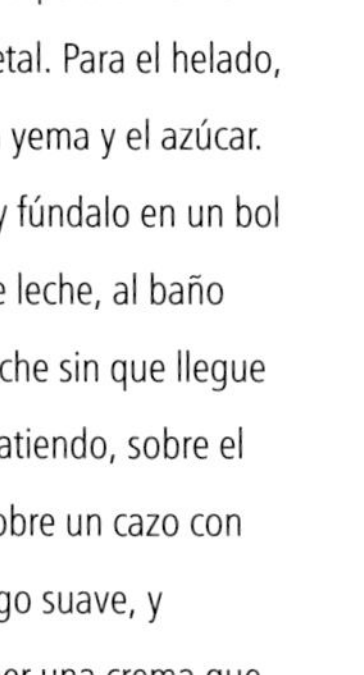

1 Forre 2 bandejas para el horno con papel vegetal. Para el helado, bata el huevo con la yema y el azúcar. Trocee el chocolate y fúndalo en un bol con 3 cucharadas de leche, al baño María. Caliente la leche sin que llegue a hervir y viértala, batiendo, sobre el huevo. Colóquelo sobre un cazo con agua caliente, a fuego suave, y remueva para obtener una crema que cubra el dorso de una cuchara. Añada el chocolate y bata. Tápela con papel vegetal humedecido y déjela enfriar.

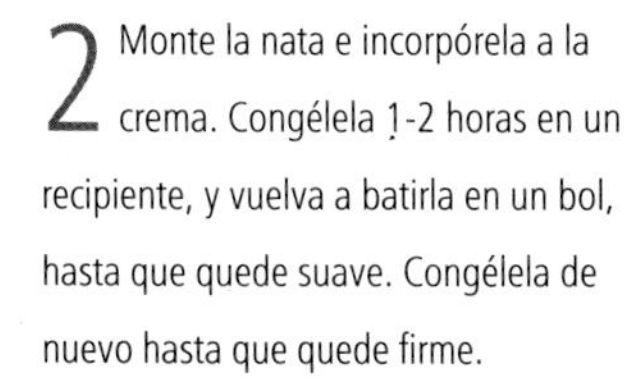

2 Monte la nata e incorpórela a la crema. Congélela 1-2 horas en un recipiente, y vuelva a batirla en un bol, hasta que quede suave. Congélela de nuevo hasta que quede firme.

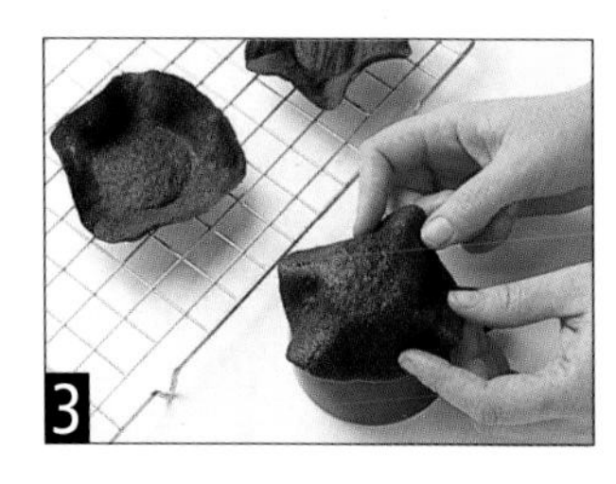

3 Para los nidos, bata la clara con el azúcar. Añada la harina y el cacao, y después la mantequilla. Vierta sobre las bandejas 6 cucharadas de pasta y extiéndalas en círculos de 12,5 cm. Cuézalos en el horno precalentado a 200 ºC 4-5 minutos. Mientras estén calientes, moldéelos con una taza. Déjelos reposar y colóquelos sobre una rejilla para que se enfríen. Sirva el helado en los nidos de galleta.

pastel de queso y chocolate

para 10 personas

BASE
225 g de copos de avena tostados
50 g de avellanas tostadas, picadas
55 g de mantequilla
25 g de chocolate negro

RELLENO
350 g de queso fresco cremoso
100 g de azúcar lustre
200 ml de yogur espeso
300 ml de nata espesa
1 sobrecito de gelatina
3 cucharadas de agua
175 g de chocolate negro fundido
175 g de chocolate blanco fundido

1 Introduzca los cereales en una bolsa de plástico y tritúrelos con un rodillo de cocina. Ponga las migas en un cuenco grande y añada las avellanas picadas.

2 Con cuidado, derrita a fuego lento la mantequilla con el chocolate y viértalo sobre la mezcla anterior. Remueva para recubrirlo todo bien.

3 Con la base de un vaso, presione la mezcla sobre la base y los lados de un molde desmontable redondo de unos 20 cm de diámetro.

3

4 Bata el queso y el azúcar con una cuchara de madera hasta obtener una crema suave. Añada el yogur. Bata la nata hasta que se empiece a espesar e incorpórela. Espolvoree la gelatina sobre el agua en un bol resistente al calor y deje que se esponje. Coloque el bol sobre un cazo con agua caliente para disolverla. Añádala a la mezcla.

4

5 Divida la mezcla en 2 partes; añada el chocolate negro a una mitad y el blanco, a la otra.

6 Vierta varias cucharadas de crema de chocolate blanco y negro, alternándolas, sobre la base de cereales. Remueva un poco con la punta de un cuchillo para crear un efecto de mármol. Alise la superficie. Deje el pastel en la nevera como mínimo 2 horas antes de servirlo.

6

tartaletas de fruta y chocolate

para 6 personas

250 g de harina
3 cucharadas de cacao en polvo
150 g de mantequilla
3 cucharadas de azúcar lustre
2-3 cucharadas de agua
50 g de chocolate negro
50 g de frutos secos variados
350 g de fruta preparada
3 cucharadas de mermelada de albaricoque o gelatina de grosella

VARIACIÓN

Si quiere, puede poner un poco de nata líquida endulzada en las tartaletas antes de rellenarlas. Si prefiere un relleno de chocolate, mezcle 225 g de crema de chocolate y avellanas con 5 cucharadas de yogur espeso o nata montada.

1 Tamice la harina y el cacao en polvo en un bol grande. Trocee la mantequilla y, con los dedos, mézclela con la harina hasta obtener una consistencia de pan rallado.

2 Añada el azúcar y agua suficiente para formar una pasta suave (1-2 cucharadas). Cúbrala y guárdela 15 minutos en la nevera.

3 Sobre una superficie enharinada, extienda la pasta con el rodillo y forre con ella 6 moldes para tartaletas de 10 cm de diámetro. Pinche la pasta con un tenedor y fórrela con un poco de papel de aluminio arrugado. Cueza las bases en el horno precalentado a 190 °C durante 10 minutos.

4 Retire el papel de aluminio y hornéelas 5-10 minutos más, hasta que queden crujientes. Coloque las tartaletas sobre una rejilla metálica para que se enfríen.

5 Derrita el chocolate. Extienda los frutos secos picados sobre un plato. Desmolde las tartaletas. Unte los bordes con chocolate y rebócelos con frutos secos. Déjelo cuajar.

6 Rellene las tartaletas con la fruta. Derrita la mermelada o la gelatina con 1 cucharada de agua y pinte la parte superior de la fruta. Conserve las tartaletas en la nevera hasta el momento de servir.

pastel de tofu y chocolate

para 12 personas

100 g de harina blanca
100 de almendras molidas
200 g de azúcar moreno no refinado
150 g de margarina
675 g de tofu escurrido
175 ml de aceite vegetal
125 ml de zumo de naranja
175 ml de brandy
6 cucharadas de cacao en polvo y un poco más para decorar
2 cucharaditas de esencia de almendras

PARA DECORAR
azúcar glasé y alquequenjes

1 En un bol, mezcle bien la harina, las almendras molidas y una cucharada de azúcar. Incorpore la margarina para obtener una pasta.

2 Engrase y forre la base de un molde desmontable para tarta de 23 cm. Extienda la pasta sobre la base, empujando con los dedos para cubrirla.

3 Trocee el tofu e introdúzcalo en el recipiente de una batidora junto con el aceite vegetal, la esencia de almendras, el zumo de naranja, el brandy, el cacao y el resto del azúcar, y bata hasta obtener una mezcla cremosa y homogénea. Vierta la mezcla en el molde sobre la pasta y alise la superficie con una espátula. Cueza el pastel en el horno precalentado a 160 °C durante 1-1 ¼ horas, o hasta que cuaje.

4 Déjelo entibiar en el molde unos 5 minutos, desmóldelo y enfríelo bien en la nevera. Espolvoréelo con azúcar glasé y cacao en polvo. Decórelo con alquequenjes y sírvalo.

tiramisú en capas

para 6 personas

150 ml de nata espesa

300 g de chocolate negro

400 g de queso mascarpone

400 ml de café frío, endulzado con 4 cucharadas de azúcar

6 cucharadas de ron oscuro o brandy

36 lenguas de bizcocho (unos 400 g)

cacao en polvo para espolvorear

VARIACIÓN

Si lo desea, puede añadir 50 g de avellanas tostadas y molidas a la mezcla de chocolate que se prepara en el primer paso.

1 Monte la nata. En un cuenco colocado sobre una cazuela con agua hirviendo, funda el chocolate a fuego lento, removiendo de vez en cuando. Deje que se entibie y, a continuación, mézclelo con la nata y el mascarpone.

2 Mezcle el café y el ron en un bol. Bañe los bizcochos de modo que absorban el líquido pero sin ablandarse.

3 Coloque 3 bizcochos en cada plato individual.

4 Con una cuchara, extienda por encima una capa de crema de chocolate y mascarpone. Añada otra capa de bizcochos.

5 Cúbrala de nuevo con crema y coloque luego 3 lenguas de bizcocho más.

6 Deje enfriar el tiramisú en la nevera durante una hora como mínimo. A continuación, espolvoréelo con cacao en polvo antes de servirlo a la mesa.

1

1

2

pastel de queso y fresas

para 8 personas

BASE

55 g de mantequilla sin sal

225 g de galletas digestivas desmigadas

55 g de avellanas picadas

RELLENO

450 g de queso mascarpone

2 huevos batidos

3 cucharadas de azúcar lustre

250 g de chocolate blanco troceado

225 g de fresas limpias y cortadas en cuatro

DECORACIÓN

175 g de queso mascarpone

virutas de chocolate

16 fresas enteras

1 Para preparar la base, derrita la mantequilla a fuego lento y agregue las galletas desmigadas y la avellana. Disponga la mezcla en un molde desmontable de tarta de 23 cm y presione la masa uniformemente con el dorso de una cuchara. Reserve.

2 Precaliente el horno a 150 ºC. Para el relleno, bata el queso hasta que quede cremoso; añada los huevos y el azúcar. Ponga el chocolate en un recipiente para baño María o en un cuenco resistente al calor colocado sobre una cazuela con agua hirviendo a fuego lento. Remueva hasta que se derrita. Apártelo del fuego y deje que se entibie. A continuación, incorpórelo a la mezcla de queso. Por último, agregue las fresas.

3 Vierta la mezcla en el molde, extiéndala uniformemente y alise la superficie. Cueza el pastel en el horno precalentado durante 1 hora, hasta que el relleno adquiera consistencia. Apague el horno, pero no retire el pastel de dentro hasta que esté completamente frío.

1

2

4 Coloque el pastel de queso sobre una fuente y esparza por encima el mascarpone. Decórelo con las virutas de chocolate y las fresas enteras.

tarta de chocolate al brandy

para 12 personas

BASE
250 g de galletas de jengibre
75 g de chocolate negro
100 g de mantequilla
RELLENO
225 g de chocolate negro
250 g de queso mascarpone
2 huevos, con las yemas separadas
3 cucharadas de brandy
300 ml de nata espesa
4 cucharadas de azúcar lustre
PARA DECORAR
100 ml de nata espesa
granos de café bañados
en chocolate

1 Introduzca las galletas en una bolsa de plástico y tritúrelas con el rodillo. Derrita el chocolate con la mantequilla y viértalo sobre las migas. Mézclelo bien y forre con la pasta la base y los lados de un molde para tarta de 23 cm de diámetro. Guárdelo en la nevera mientras prepara el relleno.

2 Derrita el chocolate negro en un cazo, retírelo del fuego y añada el mascarpone, las yemas de huevo y el brandy.

3 Bata la nata e incorpórela al contenido del cazo.

4 En un cuenco, monte las claras a punto de nieve. Añada el azúcar despacio, y bata hasta obtener un merengue espeso. Incorpórelo a la crema de chocolate, en 2 tandas, mezclando bien.

5 Rellene la base de la tarta y déjela un mínimo de 2 horas en la nevera. Desmóldela con cuidado sobre una fuente para servir. Disponga unas rosetas de nata en el borde del pastel, y coloque encima de cada una un grano de café bañado en chocolate.

1

3

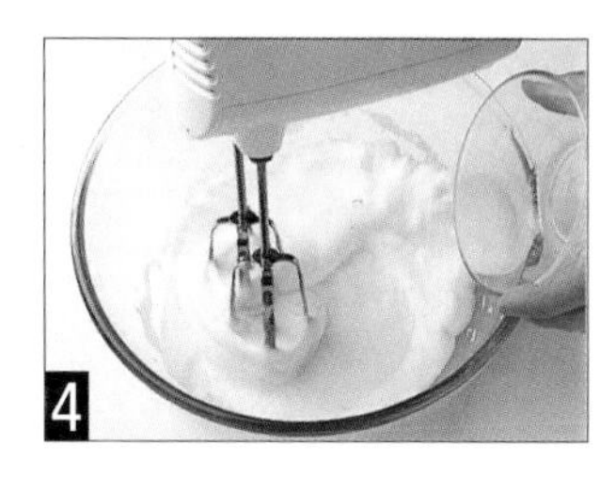
4

helado de chocolate cremoso

para 6 personas

HELADO

1 huevo

3 yemas de huevo

85 g de azúcar lustre

300 ml de leche

250 g de chocolate negro

300 ml de nata líquida espesa

CESTITAS

100 g de chocolate negro

1 En un bol, bata el huevo con las yemas y el azúcar hasta que estén bien mezclados. Caliente la leche, sin dejar que llegue a hervir.

2 Vierta la leche poco a poco sobre el huevo, batiendo bien. Encaje el cuenco en un cazo con agua que esté al fuego y caliente la crema, removiendo, hasta que se espese lo suficiente como para cubrir el dorso de una cuchara de madera.

3 Trocee el chocolate y añádalo a la crema. Remueva hasta que se haya fundido. Cubra la crema con una hoja de papel vegetal humedecido y déjela enfriar.

3

4 Bata la nata hasta que quede cremosa e incorpórela a la crema. Viértala en un recipiente adecuado y congélela 1-2 horas, hasta que se haya helado 2,5 cm desde los bordes.

5 Pase el helado a un cuenco enfriado en la nevera y bátalo de nuevo hasta que la crema quede suave. Introdúzcala de nuevo en el congelador y déjela hasta que adquiera una consistencia firme.

6 Para preparar las cestitas, disponga boca abajo un molde múltiple para *muffins* y cubra 6 moldes alternos con plástico de cocina. Vierta el chocolate derretido en un cucurucho de papel y corte la punta.

7 Dibuje con chocolate un círculo alrededor de la base de cada molde, y después una rejilla; aplique, con mucho cuidado, una segunda capa. Déjelo cuajar en la nevera y después levante el plástico y retírelo. Sirva el helado dentro de las cestitas de rejilla.

7

7

roscón con helado de chocolate y menta

para 8 personas

4 huevos
175 g de azúcar lustre
100 g de harina de fuerza
3 cucharadas de cacao en polvo
500 ml de helado de chocolate y menta
salsa de chocolate brillante (véase pág. 104)

1 Engrase un molde de corona de 23 cm. Ponga los huevos y el azúcar en un cuenco grande. Con unas varillas eléctricas, bátalo hasta obtener una crema muy espesa. Si utiliza un batidor manual, coloque el cuenco sobre una cazuela con agua muy caliente mientras bate.

2 Tamice la harina con el cacao en polvo e incorpórelo en la crema. Vierta la pasta en el molde y cuézala en el horno precalentado a 180 °C unos 30 minutos, hasta que esté esponjosa al tacto. Déjela enfriar en el molde antes de pasarla a una rejilla metálica.

3 Lave el molde y fórrelo con plástico de cocina, dejando que sobresalga un poco. Recorte una rebanada de 1 cm de la parte superior del roscón y resérvela.

4 Disponga el roscón ya frío en el molde. Con una cuchara, extraiga el bizcocho de la parte central, dejando un surco de más o menos 1 cm de grosor.

5 Deje unos minutos el helado a temperatura ambiente y, a continuación, bátalo con una cuchara de madera para ablandarlo. Rellene el roscón con el helado y alise la superficie. Coloque encima la parte recortada.

6 Cubra el roscón con el plástico que sobresale por los bordes y déjelo como mínimo 2 horas en el congelador.

7 Desmolde el roscón sobre una fuente de servir y rocíelo con un poco de salsa de chocolate brillante, formando un dibujo si lo desea. Sírvalo cortado en rodajas, con el resto de la salsa aparte.

3

4

5

mousse de chocolate

para 8 personas

100 g de chocolate negro fundido
300 ml de yogur natural
150 ml de queso fresco
4 cucharadas de azúcar lustre
1 cucharada de zumo de naranja
1 cucharada de brandy
1½ cucharaditas de gelatina vegetal
9 cucharadas de agua fría
2 claras de huevo grandes

PARA DECORAR
chocolate blanco y negro rallado
tiras de piel de naranja

1 Disponga el chocolate fundido, el yogur, el queso, el azúcar, el zumo de naranja y el brandy en el recipiente de la batidora y bata unos 30 segundos. Vierta la mezcla en un cuenco grande.

2 Espolvoree la gelatina en el agua y remueva hasta que se disuelva.

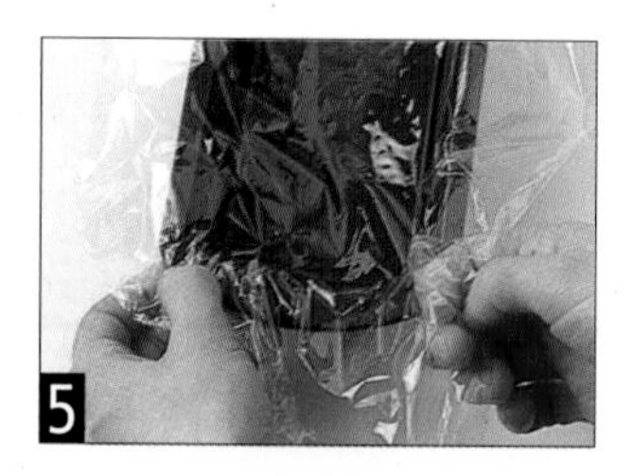

3 Vierta la gelatina disuelta en un cazo, llévela a ebullición y déjela hervir 2 minutos. Déjela entibiar, y añádala a la mezcla de chocolate.

4 Monte las claras a punto de nieve e incorpórelas en la mezcla de chocolate con una cuchara metálica.

5 Forre un molde rectangular de 500 g con film transparente. Disponga la mousse en el molde y déjela cuajar en la nevera 2 horas. Dele la vuelta sobre una fuente y decórela con chocolate rallado y piel de naranja.

charlotte de chocolate

para 8 personas

unas 22 lenguas de bizcocho
4 cucharadas de licor de naranja
250 g de chocolate negro
150 ml de nata espesa
4 huevos
150 g de azúcar lustre
PARA DECORAR
150 ml de nata montada
2 cucharadas de azúcar lustre
½ cucharadita de esencia de vainilla
virutas rápidas de chocolate negro (véase pág. 7)
adornos de chocolate (véase pág. 121), opcional

1 Forre la base de un molde para *charlotte* o un molde hondo y redondo de 18 cm de diámetro con papel vegetal.

2 Disponga los bizcochos sobre una bandeja y rocíelos con el licor de naranja. Forre con ellos el borde del molde, disponiéndolos juntos; recórtelos un poco si sobresalen.

3 Trocee el chocolate en un bol, colóquelo sobre un cazo con agua caliente a fuego lento y derrítalo. Retírelo del fuego y añada luego la nata espesa.

4 Separe los huevos y disponga las claras en un cuenco bien limpio. Bata las yemas con la crema de chocolate.

5 Monte las claras a punto de nieve y añada el azúcar poco a poco, batiendo bien. Con cuidado, incorpore las claras al chocolate, en 2 tandas, procurando no romper las burbujas. Rellene el molde con la mousse y recorte los melindros para que no sobresalgan por encima del relleno. Deje enfriar la *charlotte* en la nevera durante 5 horas como mínimo.

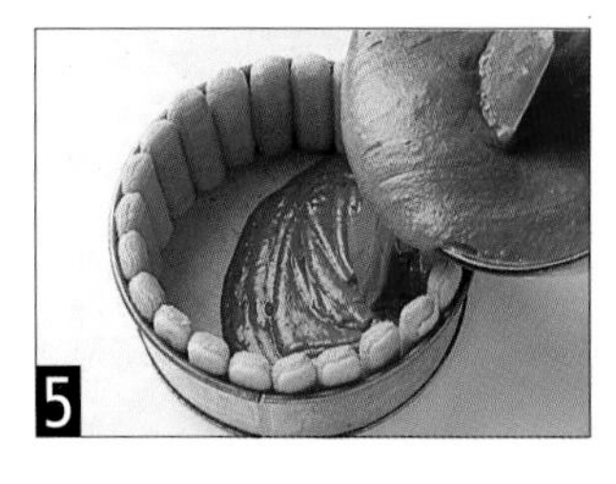

6 Para decorar, monte la nata con el azúcar y la esencia de vainilla. Desmolde la *charlotte* sobre una fuente. Con la manga pastelera, decórela con rosetas de nata montada alrededor de la base y virutas rápidas y adornos de chocolate.

mousse de moca

para 4 personas

1 cucharada de esencia de café y achicoria
2 cucharaditas de cacao en polvo, y un poco más para espolvorear
1 cucharadita de chocolate en polvo bajo en grasa
150 ml de nata ácida desnatada, y 4 cucharadas más para servir
2 cucharaditas de gelatina en polvo
2 cucharadas de agua hirviendo
2 claras de huevo grandes
2 cucharadas de azúcar lustre
4 granos de café de chocolate

1 Disponga la esencia de café y achicoria en un cuenco, y las 2 cucharaditas de cacao y el chocolate en polvo en otro. Reparta la nata ácida entre los dos cuencos por igual, y mézclelo bien.

2 Disuelva la gelatina en el agua hirviendo y resérvela. Monte las claras con el azúcar a punto de nieve y reparta la mezcla por igual entre los dos cuencos.

3 Haga lo mismo con la gelatina, incorporándola a las dos mezclas con una cuchara metálica.

4 Alterne cucharadas de los dos tipos de crema en 4 copas para servir, formando remolinos. Enfríelas en la nevera 1 hora, hasta que cuajen.

5 Para servir, decore cada copa de mousse con una cucharada de nata ácida y un grano de café de chocolate, y espolvoree con cacao en polvo.

mousse de chocolate en capas

para 4 personas

3 huevos

1 cucharadita de harina de maíz

50 g de azúcar lustre

300 ml de leche

1 sobrecito de gelatina en polvo

3 cucharadas de agua

300 ml de nata espesa

75 g de chocolate negro

75 g de chocolate blanco

75 g de chocolate con leche

canutillos de chocolate, para decorar (véase pág. 7)

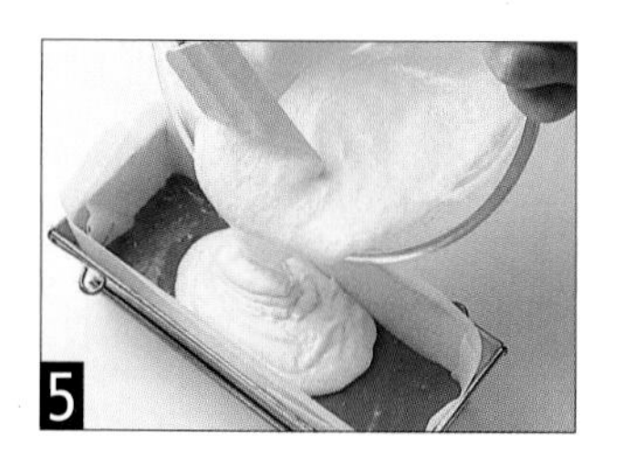

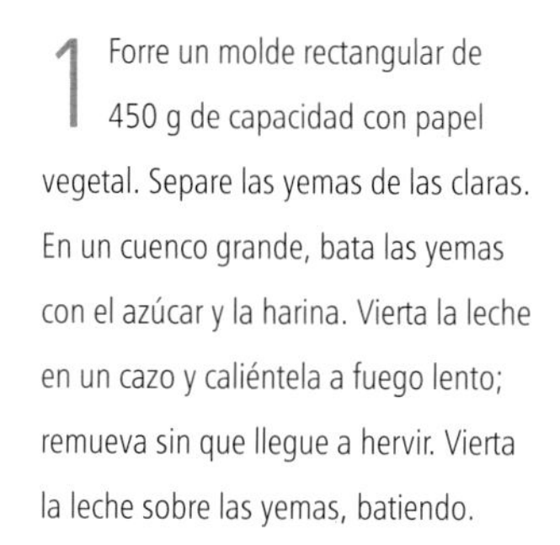

1 Forre un molde rectangular de 450 g de capacidad con papel vegetal. Separe las yemas de las claras. En un cuenco grande, bata las yemas con el azúcar y la harina. Vierta la leche en un cazo y caliéntela a fuego lento; remueva sin que llegue a hervir. Vierta la leche sobre las yemas, batiendo.

2 Coloque el cuenco sobre una cazuela con agua caliente a fuego lento, y remueva hasta obtener una crema lo bastante espesa como para cubrir el dorso de una cuchara de madera.

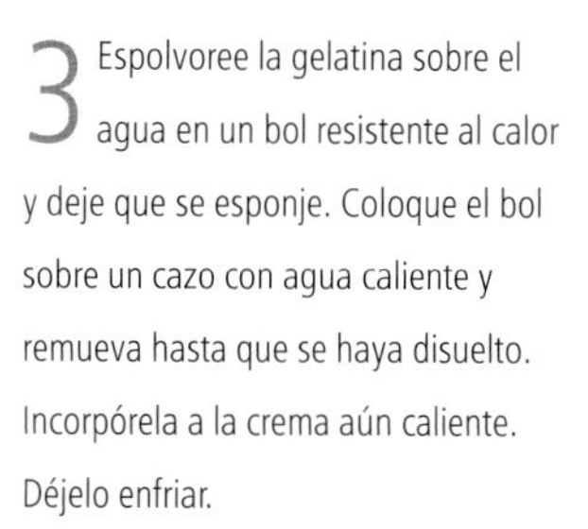

3 Espolvoree la gelatina sobre el agua en un bol resistente al calor y deje que se esponje. Coloque el bol sobre un cazo con agua caliente y remueva hasta que se haya disuelto. Incorpórela a la crema aún caliente. Déjelo enfriar.

4 Monte la nata hasta que quede cremosa. Incorpórela a la crema y después divídala en 3 partes. Derrita los 3 tipos de chocolate por separado. Añada el chocolate negro a una parte de la crema. Bata una clara de huevo a punto de nieve e incorpórela mezclando bien. Vierta la mousse en el molde y alise la superficie. Déjela en la parte más fría de la nevera hasta que cuaje. Mantenga las otras 2 partes de la crema a temperatura ambiente.

5 Añada el chocolate blanco a otra parte de la crema. Bata otra clara e incorpórela. Vierta esta mousse sobre la anterior y enfríela. Haga lo mismo con el chocolate con leche. Conserve la mousse en la nevera hasta que cuaje. Para servir, sáquela con cuidado del molde, colóquela sobre una fuente y decórela con canutillos de chocolate.

crema de chocolate y vainilla

para 4 personas

450 ml de nata espesa
6 cucharadas de azúcar lustre
1 vaina de vainilla
200 ml de nata fresca espesa
2 cucharaditas de gelatina en polvo
3 cucharadas de agua
50 g de chocolate negro
ADORNOS DE CHOCOLATE BICOLORES
un poco de chocolate blanco fundido
un poco de chocolate negro fundido

1 Disponga en un cazo la nata espesa, el azúcar y la vaina de vainilla abierta a lo largo. Caliéntelo a fuego lento, removiendo hasta que se disuelva el azúcar, y llévelo a ebullición. Cuézalo a fuego muy lento durante 2-3 minutos.

2 Aparte el cazo del fuego y retire la vainilla. A continuación, añada la nata fresca espesa.

3 Espolvoree la gelatina sobre el agua en un cuenco refractario. Deje que se esponje y, a continuación, colóquelo sobre un cazo con agua muy caliente hasta que se disuelva. Incorpore la gelatina a la crema y vierta la mitad de la preparación en un cuenco grande.

4 Funda el chocolate negro y añádalo a una mitad de la crema. Repártala entre 4 copas y resérvelas durante unos 15-20 minutos en la nevera, hasta que cuaje. Mientras se enfría, mantenga la crema de vainilla a temperatura ambiente.

5 Vierta la crema de vainilla sobre la de chocolate y déjela cuajar también en la nevera.

6 Mientras tanto, prepare los adornos. Ponga el chocolate blanco fundido en un cucurucho de papel y corte la punta. Extienda un poco de chocolate negro sobre una hoja de papel vegetal. Mientras todavía esté húmedo, dibuje unos trazos de chocolate blanco por encima. Con la punta de un palillo, una entre sí los trazos de chocolate blanco. Cuando el chocolate esté firme, pero no demasiado duro, corte diferentes formas con un cortapastas pequeño o con un cuchillo afilado. Deje que los adornos se endurezcan en la nevera y decore con ellos las copas.

1

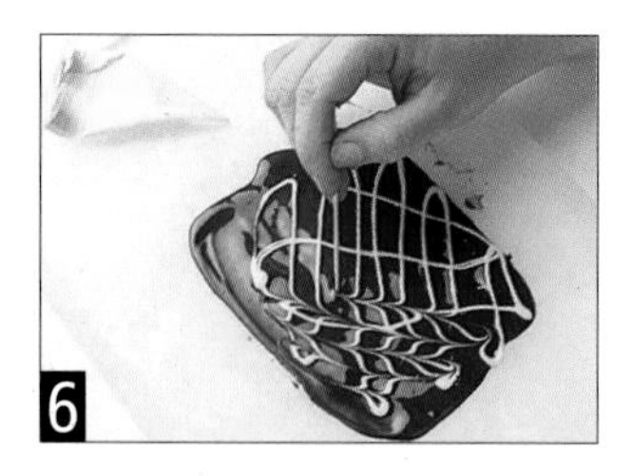
6

6

cestitas de chocolate con frambuesas

para 12 personas

200 g de chocolate negro troceado
1½ cucharaditas de café negro cargado
1 yema de huevo
1½ cucharaditas de licor de café
2 claras de huevo
200 g de frambuesas frescas

BIZCOCHO
1 huevo y 1 clara de huevo
4 cucharadas de azúcar lustre
5 cucharadas de harina blanca

1 Para la mousse de moca, derrita 55 g de chocolate en un cuenco resistente al calor colocado sobre una cazuela con agua hirviendo a fuego lento. Añada el café y remueva hasta obtener una textura cremosa. Apártelo del fuego y déjelo entibiar. Incorpore la yema de huevo y el licor de café.

4

2 Monte las claras a punto de nieve. Añádalas a la mezcla de chocolate, cúbrala con film transparente y deje que se enfríe en la nevera 2 horas, hasta que cuaje.

3 Para preparar el bizcocho, engrase ligeramente un molde cuadrado de 20 cm y forre la base con papel vegetal. En un cuenco resistente al calor colocado sobre una cazuela con agua hirviendo a fuego lento, bata el huevo y la clara con el azúcar unos 5-10 minutos, hasta que quede espeso y de un tono claro. Apártelo del fuego y bátalo unos 10 minutos más, hasta que se enfríe y la masa forme una cinta espesa al levantar las varillas.

4 Precaliente el horno a 180 °C. Tamice la harina e incorpórela a la mezcla anterior. Cueza el bizcocho 20-25 minutos, hasta que esté firme al tacto y se encoja ligeramente en los bordes. Vuélquelo sobre una rejilla metálica para que se enfríe, y luego dele la vuelta de modo que el papel vegetal quede debajo.

6

5 Para las cestitas de chocolate, engrase un molde de brazo de gitano de 32 x 24 cm y fórrelo con papel vegetal. Funda el resto del chocolate al baño María en un cuenco resistente al calor, procurando que no quede muy líquido. Viértalo en el molde y extiéndalo uniformemente. Déjelo enfriar durante 30 minutos, hasta que cuaje.

6 Dele la vuelta al el chocolate cuajado y, con una regla y un cuchillo, corte 36 rectángulos de 8 x 3 cm. Corte 12 de ellos en dos para obtener 24 rectángulos de 4 x 3 cm.

7 Recorte los bordes del bizcocho y córtelo en 12 rectángulos de 8 x 3 cm. Unte con la mousse los lados de cada trozo de bizcocho y pegue alrededor de cada uno 2 rectángulos largos y 2 cortos de chocolate para formar unas cajitas. Disponga el resto de la mousse en las cestitas y coloque las frambuesas encima.

crema de moca

para 4 personas

225 g de chocolate negro
1 cucharada de café instantáneo
300 ml de agua hirviendo
1 sobrecito de gelatina
3 cucharadas de agua fría
1 cucharadita de esencia de vainilla
1 cucharada de licor de café (opcional)
300 ml de nata espesa
4 granos de café de chocolate
8 almendrados

VARIACIÓN

Para darle un delicioso aroma de almendra al postre, sustituya el licor de café por otro con sabor a almendra.

1 Trocee el chocolate y colóquelo en un cazo con el café. Añada el agua hirviendo y caliéntelo a fuego lento hasta que el chocolate se funda.

2 Espolvoree la gelatina sobre el agua fría y deje que se esponje. Incorpórela al chocolate y remueva hasta que se disuelva.

3 Añada la esencia de vainilla y el licor de café, si lo desea. Deje reposar la crema en un lugar fresco hasta que se empiece a espesar. Bata de vez en cuando.

4 Monte la nata hasta que esté cremosa, reserve un poco para decorar y añada el resto a la crema de chocolate. Repártala entre 4 copas y déjela reposar.

5 Para terminar, decore las copas con la nata reservada y los granos de café de chocolate. Sírvalas a la mesa acompañadas con almendrados.

1

2

4

profiteroles al plátano

para 4-6 personas

PASTA *CHOUX*

150 ml de agua

60 g de mantequilla

85 g de harina tamizada

2 huevos

SALSA DE CHOCOLATE

100 g de chocolate negro troceado

2 cucharadas de agua

4 cucharadas de azúcar glasé

25 g de mantequilla sin sal

RELLENO

300 ml de nata espesa

1 plátano

2 cucharadas de azúcar glasé

2 cucharadas de licor de plátano

1 Engrase una bandeja para el horno y rocíela con un poco de agua. Ponga el agua en un cazo, junto con la mantequilla troceada. Caliéntelo a fuego lento hasta que la mantequilla se derrita. Cuando hierva, retire el cazo del fuego, añada toda la harina de golpe, y bata bien hasta que la pasta se desprenda de los lados del cazo y forme un bola. Deje que se entibie y añada los huevos, de uno en uno, hasta que la pasta esté suave y reluciente. Introdúzcala en una manga pastelera equipada con una boquilla lisa de 1 cm.

2 Disponga unas 18 bolitas de pasta sobre la bandeja de hornear, dejando suficiente espacio entre ellas para que no se peguen entre sí durante la cocción. Cuézalas en el horno precalentado a 220 ºC durante unos 15-20 minutos, hasta que estén doradas y crujientes. Sáquelas del horno y haga una pequeña incisión en cada una para que salga el vapor. Déjelas enfriar sobre una rejilla.

3 Para preparar la salsa, disponga todos los ingredientes en un bol refractario, colóquelo sobre un cazo cor agua hirviendo a fuego lento, y no deje de remover hasta que la salsa quede suave.

4 Para preparar el relleno, monte la nata. Haga un puré con el plátano, el azúcar y el licor, y añada la nata. Introdúzcalo en una manga pastelera con una boquilla sencilla de 1 cm de diámetro, y rellene los profiteroles. Rocíelos con la salsa de chocolate antes de servirlos.

1

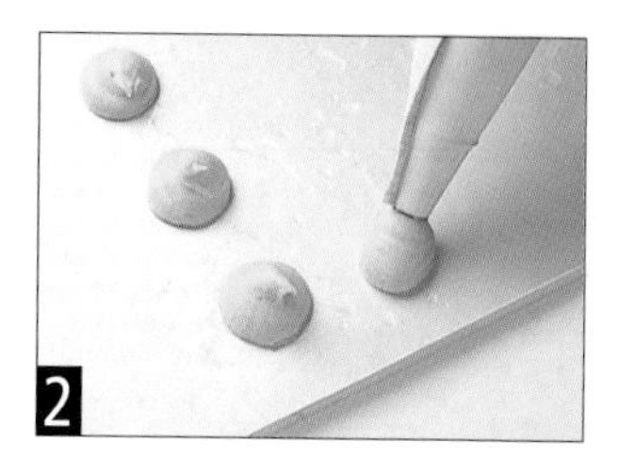

2

cornetes al cardamomo

para 6 personas

1 clara de huevo
4 cucharadas de azúcar lustre
2 cucharadas de harina
2 cucharadas de cacao en polvo
25 g de mantequilla fundida
50 g de chocolate negro
CREMA DE CARDAMOMO
150 ml de nata espesa
1 cucharada de azúcar glasé
¼ de cucharadita de cardamomo molido
una pizca de jengibre molido
25 g de jengibre fresco, finamente picado

1 Forre 2 bandejas para el horno con papel vegetal. Engrase ligeramente 6 moldes cónicos. Para preparar los cornetes, bata la clara de huevo con el azúcar en un cuenco bien limpio. Tamice la harina con el cacao en polvo e incorpórelo a la clara con azúcar. Añada la mantequilla y mézclelo bien.

2 Disponga 1 cucharada de pasta sobre 1 bandeja de hornear y extiéndala para formar un redondel de 12,5 cm de diámetro. Cuézalo en el horno precalentado a 200 ºC durante unos 4-5 minutos.

3 Trabajando con presteza, separe la pasta del papel con una espátula y enróllela alrededor del molde para formar un cono. Déjelo reposar, y después retírelo el molde para que se acabe de enfriar. Repita la operación hasta obtener los 6 cornetes.

4 Derrita el chocolate y bañe con él el extremo abierto de cada cornete. A continuación, póngalos todos sobre una hoja de papel vegetal y deje que cuajen.

5 Para preparar la crema, disponga la nata en un cuenco y tamice el azúcar glasé y las especias por encima. Monte la nata con especias. Añada el jengibre picado y rellene los cornetes con la crema.

torres de galletas de mantequilla y chocolate

para 6 personas

GALLETAS

225 g de mantequilla

75 g de azúcar mascabado claro

50 g de chocolate negro rallado

275 g de harina

PARA EL ACABADO

350 g de frambuesas frescas

2 cucharadas de azúcar glasé

CREMA DE CHOCOLATE BLANCO

3 cucharadas de leche

300 ml de nata líquida espesa

100 g de chocolate blanco fundido

azúcar glasé, para espolvorear

1 Engrase ligeramente una bandeja para el horno. Bata la mantequilla con el azúcar hasta obtener una crema ligera y esponjosa. Añada el chocolate negro rallado. Incorpore la harina y forme una pasta espesa.

2 Extienda la pasta con el rodillo sobre una superficie enharinada y recorte 18 redondeles de 7,5 cm con un cortapastas acanalado. Coloque los redondeles en la bandeja del horno y cuézalos en el horno precalentado a 200 °C unos 10 minutos, hasta que estén dorados y crujientes. Deje que se enfríen en la bandeja.

3 Reserve aparte unos 100 g de frambuesas. En la batidora, haga un puré con el resto y el azúcar glasé, y páselo por un tamiz para eliminar las semillas. Guárdelo en la nevera. Reserve 2 cucharadas de nata. Bata el resto hasta obtener una pasta cremosa. Añada la leche y el chocolate fundido.

4 Para las torres, ponga un poco de salsa sobre cada plato. Deposite unas gotas de nata alrededor, y con un pincho de cocina forme un dibujo.

5 Coloque una galleta sobre el plato, encima un poco de crema de chocolate, luego 2 o 3 frambuesas y otra galleta. Repita la operación. Termine con una galleta y espolvoree con azúcar glasé.

bizcocho alaska helado

para 4 personas

2 huevos
4 cucharadas de azúcar lustre
5 cucharadas de harina
2 cucharadas de cacao en polvo
3 claras de huevo
150 g de azúcar lustre
1 litro de helado de chocolate de buena calidad

1 Engrase un molde redondo de 18 cm de diámetro y forre la base con papel vegetal.

2 En un bol, bata los huevos con el azúcar, hasta obtener una crema espesa y pálida. Tamice la harina con el cacao en polvo y, con cuidado, incorpórelo.

3 Vierta la pasta en el molde y cueza el bizcocho en el horno precalentado a 200 °C durante unos 7 minutos, hasta que esté esponjoso al tacto. Deje que se enfríe por completo sobre una rejilla metálica.

4 En un cuenco limpio, bata las claras a punto de nieve. Incorpore el azúcar poco a poco, batiendo, hasta obtener un merengue denso y satinado.

5 Ponga el bizcocho en una bandeja para el horno y coloque el helado en el centro, formando una pirámide.

SUGERENCIA

Este postre está delicioso con una salsa de grosella. Cueza la fruta con un poco de zumo de naranja hasta que se ablande, prepare un puré, tamícelo, y endúlcelo a su gusto con un poco de azúcar glasé.

6 Con la ayuda de una cuchara o de una manga pastelera, recubra por completo el helado con el merengue. (En este momento ya puede congelar el postre, si lo desea.)

7 Hornee el bizcocho 5 minutos, hasta que el merengue esté dorado. Sírvalo de inmediato.

sorbete de naranja al chocolate

para 4 personas

225 g de chocolate negro en trozos pequeños
1 litro de hielo picado
300 ml de zumo de naranja natural
150 ml de agua
4 cucharadas de azúcar lustre
la ralladura de 1 naranja
el zumo y la ralladura de 1 limón
1 cucharadita de gelatina en polvo
3 cucharadas de licor de naranja
hojas de menta para decorar

1 Engrase un molde de 850 ml de capacidad con aceite y déjelo en la nevera. Coloque el chocolate en un recipiente para baño María o en un cuenco resistente al calor colocado sobre una cazuela con agua hirviendo a fuego lento. Remueva hasta que se derrita y apártelo del fuego.

2 Saque el molde de la nevera y vierta el chocolate dentro. Dele vueltas al molde para que el chocolate recubra todo su interior. Coloque el molde sobre una capa de hielo picado, y continúe girándolo hasta que el chocolate cuaje. Vuelva a introducir el molde en la nevera.

2

3 Reserve 3 cucharadas de zumo de naranja en un bol resistente al calor. Vierta el resto en un cazo, añada el agua, el azúcar, el zumo y la ralladura de limón y la ralladura de naranja. Remueva los ingredientes a fuego lento hasta que se disuelva el azúcar; luego, suba el fuego y lleve la mezcla a ebullición. Aparte el cazo del fuego.

3

4 Incorpore la gelatina al zumo de naranja reservado. Deje ablandar la gelatina 2 minutos y coloque el bol sobre un cazo de agua hirviendo a fuego lento. Agregue la gelatina y el licor a la mezcla de zumo de naranja. Viértalo en un molde y congélelo 30 minutos, hasta que se formen cristales de hielo.

5 Saque el sorbete del congelador, dispóngalo en un cuenco y bátalo enérgicamente para romper los cristales de hielo. Vuelva a colocarlo en el molde y congélelo 1 hora más. Repita el procedimiento tres veces.

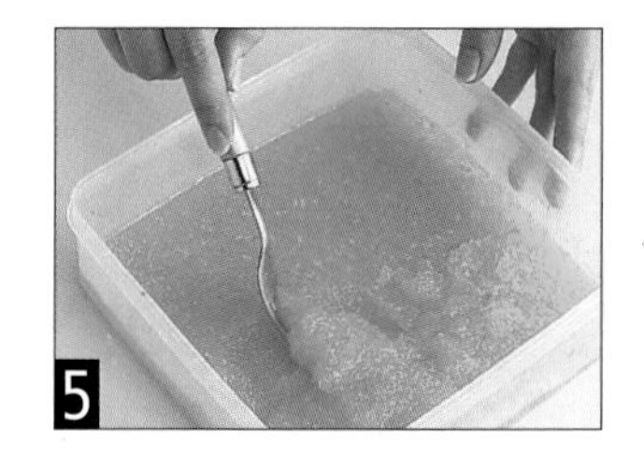
5

6 Saque el sorbete del congelador y bátalo bien. Retire el molde bañado en chocolate de la nevera y coloque el sorbete dentro. Congélelo hasta el día siguiente. Cuando vaya a servirlo, desmolde el sorbete y decórelo con hojas de menta.

tarta de chocolate con almendras

para 8 personas

PASTA
150 g de harina blanca
2 cucharadas de azúcar lustre
125 g de mantequilla cortada en trozos pequeños
1 cucharada de agua
RELLENO
150 ml de melaza de caña
55 g de mantequilla
75 g de azúcar moreno
3 huevos ligeramente batidos
100 de almendras, escaldadas y picadas
100 g de chocolate blanco troceado
nata para servir (opcional)

1 Para la base, disponga la harina y el azúcar en un cuenco y añada la mantequilla con la punta de los dedos. Incorpore el agua y amase hasta obtener una pasta blanda. Envuélvala en un paño y guárdela en la nevera unos 30 minutos.

2 Extienda la pasta sobre una superficie enharinada y forre con ella un molde para tartas de 24 cm de diámetro. Pinche la base con un tenedor y déjela en la nevera 30 minutos. Ponga encima de la pasta papel de aluminio y cúbralo con legumbres secas. Cueza la base en el horno precalentado a 190 °C unos 15 minutos. Retire el papel y las legumbres y cuezala unos 15 minutos más.

3 Para el relleno, funda la mantequilla con la melaza y el azúcar en un cazo a fuego lento. Apártelo del fuego y, cuando se enfríe, incorpore las almendras, los huevos, y el chocolate.

4 Vierta el relleno sobre la base y cueza la tarta en el horno 30-35 minutos, o hasta que el relleno haya cuajado. Desmolde la tarta cuando esté tibia. Puede servirla con nata.

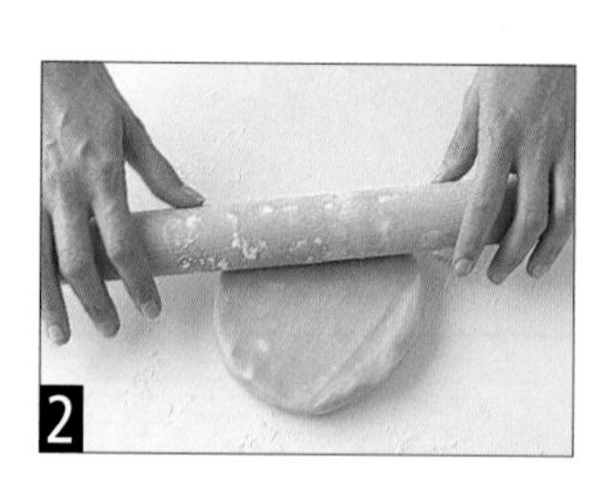
2

3

tarta de peras y chocolate

para 8 personas

BASE

115 g de harina blanca

1 pizca de sal

2 cucharadas de azúcar lustre

115 g mantequilla sin sal, en dados

1 yema de huevo

1 cucharada de zumo de limón

PARA DECORAR

115 g de chocolate negro rallado

125 ml de nata líquida

1 huevo entero y la yema de otro

3 cucharadas de azúcar lustre

4 peras y ½ cucharadita de esencia de almendras

1 Para la base, tamice la harina y la sal en un cuenco. Añada el azúcar y la mantequilla y remueva con unas varillas eléctricas o con dos tenedores hasta que los ingredientes queden bien mezclados. Agregue la yema de huevo y el zumo de limón y amase. Dele a la pasta forma de bola, envuélvala con film transparente y déjela en la nevera 30 minutos.

2 Precaliente el horno a 200 °C, extienda la pasta sobre una superficie enharinada y después forre con ella un molde para tartas de 25 cm. Esparza el chocolate rallado sobre la base de la tarta. Pele las peras, córtelas por la mitad y sáqueles el corazón. Corte cada mitad en finas rodajas oblicuas y deles forma de abanico. Recoja cada mitad de pera con una espátula y colóquelas sobre la base de la tarta.

3 Bata la nata con el huevo, la yema y la esencia de almendras y viértalo por encima de las peras. Después, espolvoree con el azúcar la superficie de la tarta.

4 Cueza la tarta en el horno precalentado durante 10 minutos. Baje la temperatura a 180 °C y cuézala unos 20 minutos más, hasta que las peras empiecen a caramelizarse y el relleno haya cuajado. Cuando se haya enfriado por completo, decórela con hojas de menta y sírvala.

2

3

tarta de chocolate y pacanas

para 10 personas

BASE

280 g de harina blanca

6 cucharadas de cacao en polvo

115 g de azúcar glasé

1 pizca de sal

200 g de mantequilla sin sal, cortada en dados

1 yema de huevo

RELLENO

85 g de chocolate negro, partido en trozos pequeños

350 g de pacanas sin cáscara

83 g de mantequilla sin sal

175 g de azúcar moreno

3 huevos

2 cucharadas de nata espesa

2 cucharadas de harina blanca

1 cucharada de azúcar glasé, para espolvorear

1 Para hacer la base, tamice la harina, el cacao, el azúcar y la sal en un cuenco y haga un volcán. Ponga la mantequilla y la yema en el hoyo, y mézclelo todo poco a poco. Amase suavemente y forme una bola. Cúbrala con film transparente y déjela 1 hora en la nevera.

2 Retire el film y extienda la pasta sobre una superficie ligeramente enharinada. Forre con ella un molde para tartas de 25 cm y pinche la base con un tenedor. Precaliente el horno a 180 °C. Cubra la pasta con papel vegetal y esparza legumbres secas por encima. Cueza la base en el horno precalentado durante unos 15 minutos, aproximadamente. Sáquela del horno, retire las legumbres y el papel vegetal, y deje que se enfríe.

2

3

4

3 Para el relleno, ponga el chocolate en un cuenco resistente al calor colocado sobre una cazuela con agua hirviendo a fuego lento. Remueva hasta que se funda y apártelo del fuego. Pique 225 g de pacanas y resérvelas. Mezcle la mantequilla con 55 g de azúcar moreno. Incorpore los huevos uno a uno, añada el resto del azúcar y mezcle bien. Agregue la nata, la harina, el chocolate fundido y las pacanas picadas.

4 Vierta la mezcla sobre la base. Corte el resto de las pacanas por la mitad.

5 Cueza la tarta en el horno precalentado 30 minutos. Cúbrala con papel de aluminio y cuézala unos 25 minutos más. Deje que se entibie antes de sacarla del molde y colocarla sobre una rejilla para que se enfríe del todo. Espolvoréela con azúcar glasé.

pastel de chocolate del mississippi

para 8 personas

225 g de harina
2 cucharadas de cacao en polvo
150 g de mantequilla
2 cucharadas de azúcar lustre
unas 2 cucharadas de agua fría

RELLENO
175 g de mantequilla
350 g de azúcar mascabado oscuro
4 huevos, ligeramente batidos
4 cucharadas de cacao tamizado
150 g de chocolate negro
300 ml de nata líquida
1 cucharadita de extracto de chocolate

PARA DECORAR
425 ml de nata espesa, montada
copos y virutas rápidas de chocolate (véase pág. 7)

1 Para preparar la base, tamice la harina y el caco en polvo en un cuenco. Añada la mantequilla y mezcle con los dedos hasta que parezca pan rallado. Agregue el azúcar y suficiente agua fría para formar una pasta suave. Déjela 15 minutos en la nevera.

2 Con el rodillo, extienda la pasta sobre una superficie enharinada y forre con ella un molde desmontable o uno de cerámica para tartas de 23 cm de diámetro. Fórrela con papel vegetal o de aluminio y ponga unos pesos. Cueza la base de tarta en el horno precalentado a 190 °C durante 15 minutos. Retire los pesos y el papel, y cuézala 10 minutos más.

3 Para el relleno, bata la mantequilla con el azúcar en un bol y, poco a poco, añada el huevo y el cacao en polvo. Derrita el chocolate e incorpórelo a la mezcla, con la nata líquida y el extracto de chocolate.

4 Vierta la crema sobre la base de la tarta y hornéela a 170 °C unos 45 minutos, hasta que el relleno haya cuajado.

4

5 Deje que se enfríe del todo y después pásela a una fuente. Cúbrala con la nata montada y déjela en la nevera.

5

6 Decore la tarta con copos y virutas rápidas de chocolate, y déjela en la nevera hasta el momento de servirla.

6

mini bavaroises de chocolate blanco

para 6 personas

- 125 g de chocolate blanco troceado
- 250 ml de nata espesa
- 3 cucharadas de nata ácida
- 2 huevos, con las yemas separadas
- 3 cucharadas de agua
- 1½ cucharaditas de gelatina en polvo
- 140 g de fresas cortadas en rodajas
- 140 g de frambuesas
- 140 g de grosellas negras
- 5 cucharadas de azúcar lustre
- 125 ml de licor de frambuesa
- 12 hojas de grosellas negras, si es posible

1 Disponga el chocolate en un recipiente para baño María o en un cuenco resistente al calor colocado sobre una cazuela con agua hirviendo a fuego lento. Remueva hasta que se funda y quede cremoso. Apártelo del fuego y resérvelo.

2 Mientras tanto, caliente a fuego lento la nata en un cazo. Cuando esté a punto de hervir, apártela del fuego e incorpórela al chocolate junto con la nata ácida. Deje que se entibie, y después añada las yemas de una en una

2

3 Vierta el agua en un cuenco resistente al calor y espolvoree la gelatina por encima. Cuando se haya ablandado durante 2-3 minutos, coloque el cuenco sobre un cazo con agua hirviendo a fuego lento hasta que se disuelva por completo. Incorpórela en la mezcla de chocolate y déjela hasta que esté a punto de cuajar.

4 Engrase con aceite 6 pequeños moldes, terrinas o copas, y fórrelos con papel vegetal. Monte las claras de huevo y añádalas a la mezcla de chocolate. Vierta la crema en los moldes, a partes iguales, y alise la superficie. Cúbralos con film transparente y guárdelos en la nevera durante unas 2 horas, hasta que hayan cuajado.

4

5 Ponga las fresas, las frambuesas y las grosellas negras en un bol y espolvoree con el azúcar lustre. Añada el licor y remueva suavemente para mezclarlo todo. Cúbralo con film transparente y enfríelo 2 horas.

5

6 Para servir, pase un cuchillo de punta redonda por los bordes de los moldes y, con cuidado, vuelque las mini *bavaroises* sobre platos individuales. Reparta la fruta en los platos y sírvalos inmediatamente, adornados con hojas de grosella negra, si dispone de ellas.

sorbete de chocolate

para 6 personas

140 g de chocolate negro, troceado
140 g de chocolate negro al 70 % de cacao, troceado
450 ml de agua
200 g de azúcar lustre
lenguas de gato, para servir

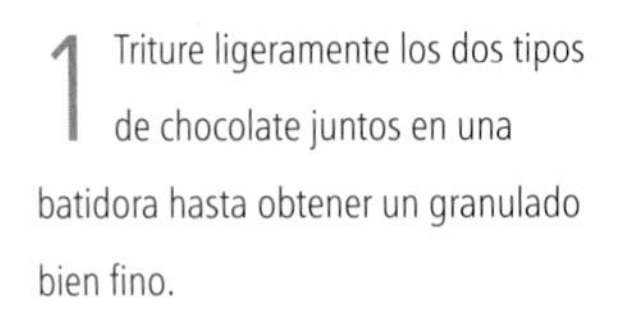

1 Triture ligeramente los dos tipos de chocolate juntos en una batidora hasta obtener un granulado bien fino.

2 Vierta el agua en un cazo de base gruesa y añada el azúcar. A fuego lento, remueva hasta que se disuelva, y luego llévelo a ebullición. Déjelo hervir 2 minutos, sin remover, y a continuación aparte el cazo del fuego.

3 Vierta el agua caliente sobre el chocolate con la batidora en marcha. Bátalo unos 2 minutos, hasta que el chocolate se haya fundido y la mezcla tenga una consistencia cremosa. Incorpore los restos que queden adheridos a las paredes. Vierta la mezcla en un recipiente adecuado para el congelador y déjela enfriar.

4 Una vez fría, póngala en el congelador durante 1 hora, hasta que se empiecen a formar cristales de hielo y los bordes estén congelados. Bata el sorbete en la batidora hasta que adquiera una consistencia cremosa. Vuelva a ponerlo en el recipiente y congélelo durante unas 2 horas, como mínimo, hasta que se haya endurecido por completo.

5 Saque el sorbete del congelador 10 minutos antes de servirlo y déjelo a temperatura ambiente para que se ablande un poco. Sirva las bolas de sorbete acompañadas con lenguas de gato.

1

3

3

helado de chocolate y miel

para 6 personas

500 ml de leche

200 g de chocolate negro troceado

4 huevos, con las yemas separadas de las claras

85 g de azúcar lustre

1 pizca de sal

2 cucharadas de miel líquida

12 fresas frescas, limpias

1 Vierta la leche en un cazo, añada 150 g de chocolate y, a fuego medio, remueva unos 3-5 minutos, hasta que el chocolate se disuelva. Aparte el cazo del fuego y resérvelo.

2 En un cuenco aparte, bata las yemas con todo el azúcar excepto una cucharada, hasta que quede cremoso. Incorpore poco a poco la leche con chocolate. Pase la mezcla a otro cazo y caliéntela a fuego lento hasta obtener una crema espesa. Apártela del fuego y, cuando esté fría, tápela con film transparente y déjela 30 minutos en la nevera.

3 Monte las claras con la pizca de sal. Añada poco a poco el azúcar reservado y continúe batiendo hasta que la mezcla esté firme y brillante. Saque la crema de chocolate de la nevera, agregue la miel y, después, incorpore suavemente las claras montadas con una cuchara metálica.

4 Reparta la crema entre 6 moldes individuales para el congelador y congélela un mínimo de 4 horas. Mientras tanto, derrita el resto del chocolate en un recipiente para baño María o en un cuenco colocado sobre una cazuela con agua hirviendo a fuego lento, y remueva hasta que adquiera una consistencia cremosa. Bañe las fresas de modo que queden medio recubiertas, y colóquelas sobre papel vegetal hasta que se sequen. Pase el helado del congelador a la nevera 10 minutos antes de servirlo. Vuelque los moldes sobre los platos y decore con las fresas.

helado de dulces de malvavisco

para 4 personas

85 g de chocolate negro, troceado
175 g de dulces de malvavisco blancos
150 ml de leche
300 ml de nata espesa

1 Ponga el chocolate y los dulces de malvavisco en un cazo y añada la leche. Caliéntelo a fuego muy bajo hasta que todo esté fundido. Retírelo del fuego y déjelo enfriar del todo.

2 Monte la nata e incorpórela, con una cuchara metálica, a la mezcla de chocolate fría. Vierta la crema en un molde de 450 g y congélela 2 horas como mínimo, hasta que quede firme. (Se puede conservar hasta 1 mes en el congelador.) Sirva el helado con fruta fresca.

parfait de chocolate y avellanas

para 6 personas

175 g de avellanas escaldadas
175 g de chocolate negro troceado
600 ml de nata espesa
3 huevos, las yemas separadas de las claras
250 g de azúcar glasé
1 cucharada de cacao en polvo para espolvorear
6 hojitas frescas de menta, para decorar
galletas, para servir

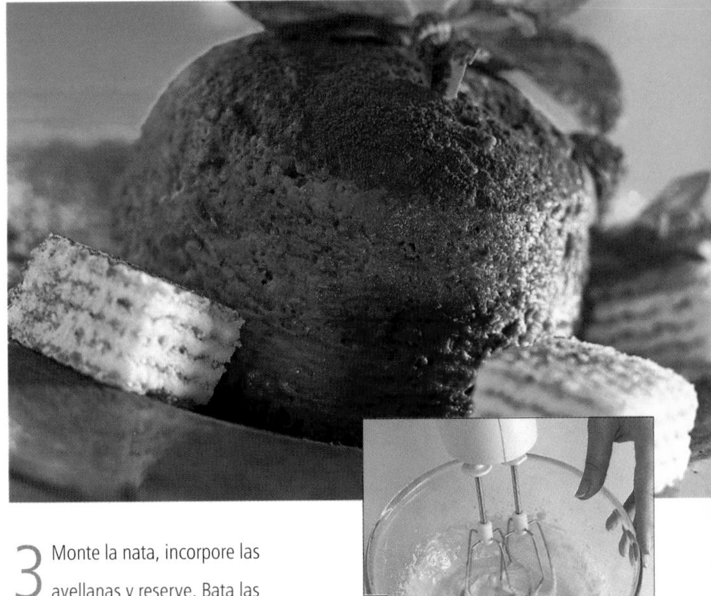

1 Coloque las avellanas sobre una bandeja para el horno y tuéstelas bajo la parrilla precalentada a fuego medio durante 5 minutos, moviendo la bandeja de vez en cuando para que se doren uniformemente.

2 Ponga el chocolate troceado en un recipiente para baño María o en un cuenco resistente al calor colocado sobre una cazuela con agua hirviendo a fuego lento. Remueva constantemente hasta que se haya fundido. A continuación, apártelo del fuego y deje que se enfríe. Triture las avellanas hasta obtener un granulado fino.

3 Monte la nata, incorpore las avellanas y reserve. Bata las yemas con 3 cucharadas de azúcar unos 10 minutos, hasta que la mezcla esté cremosa y adquiera un tono claro.

4 Monte las claras a punto de nieve. Añada el resto del azúcar poco a poco y bata bien hasta obtener una mezcla firme y brillante. Incorpore el chocolate frío a las yemas batidas, añada la nata y, al final, las claras. Reparta el helado entre 6 terrinas o moldes para el congelador, cúbralas con film transparente y déjelas en el congelador hasta el día siguiente o un mínimo de 8 horas.

5 Pase las terrinas del congelador a la nevera 10 minutos antes de servirlas, para que se ablanden un poco. Vuelque los *parfaits* sobre los platos, espolvoree con cacao en polvo, decórelos con hojas de menta y sírvalos con galletas.

helado de chocolate y menta

para 4 personas

6 huevos grandes
150 g de azúcar lustre
300 ml de leche
150 ml de nata espesa
un manojo grande de hojas de menta, lavadas y secas
2 gotas de colorante alimentario verde (opcional)
55 g de chocolate negro, finamente rallado

1 Ponga los huevos y el azúcar en un cuenco resistente al calor y colóquelo sobre un cazo hondo. Con las varillas eléctricas, bata hasta obtener una mezcla espesa y cremosa.

1

2 Vierta la leche y la nata en un cazo y caliéntelo hasta que rompa a hervir, sin dejar de remover. Incorpórelo a los huevos, batiendo constantemente. Lave el cazo y llénelo con dos dedos de agua. Coloque el cuenco encima, y compruebe que la base no llegue a estar en contacto con el agua. Suba un poco la temperatura.

3 Pase la mezcla a otro recipiente y cuézala a fuego lento, sin dejar de remover con una cuchara de madera, hasta que la crema recubra el dorso de la cuchara y al tocarla con un dedo se deje una marca.

3

4 Trocee la menta e incorpórela. Cuando la crema esté tibia, tápela y resérvela 2 horas para que absorba el aroma de la menta. Póngala en la nevera los últimos 30 minutos.

4

5 Cuele la crema con un colador fino para retirar la menta. Añada el colorante. Viértala en un recipiente adecuado y congélela 1-2 horas, hasta que esté helada a unos 2,5 cm de los bordes.

6 Pase el helado a un cuenco y bata de nuevo hasta que quede cremoso. Añada el chocolate rallado, alise la superficie y cúbralo con film transparente o papel de aluminio. Póngalo en el congelador hasta que esté cuajado. Congelado, se conserva hasta 3 meses. Antes de servir, déjelo unos 20 minutos en la nevera.

postre de arroz con chocolate

para 8 personas

100 g de arroz blanco de grano largo
1 pizca de sal
600 ml de leche
100 g de azúcar granulado
200 g de chocolate negro al 50% o 75% de cacao, rallado
70 g de mantequilla cortada en dados
1 cucharadita de esencia de vainilla
2 cucharadas de brandy o coñac
175 ml nata espesa
nata montada para decorar (opcional)
virutas de chocolate rápidas (véase pág. 7), para decorar (opcional)

VARIACIÓN

Para moldear el arroz con chocolate, ablande un sobre de gelatina con 50 ml de agua fría y caliéntelo hasta se disuelva. Incorpórela al chocolate justo antes de añadir la nata. Póngalo en un molde mojado con agua, deje que cuaje y desmóldelo.

1 Hierva agua en un cazo. Añada el arroz y la sal. Baje el fuego al mínimo y déjelo hervir 15-20 minutos, hasta que esté en su punto. Escurra el arroz, lávelo y escúrralo de nuevo.

2 Caliente la leche con el azúcar en una cazuela grande de base gruesa, a fuego medio, hasta que se disuelva el azúcar, removiendo con frecuencia. Añada el chocolate y la mantequilla y remueva hasta que se fundan y todo se mezcle bien.

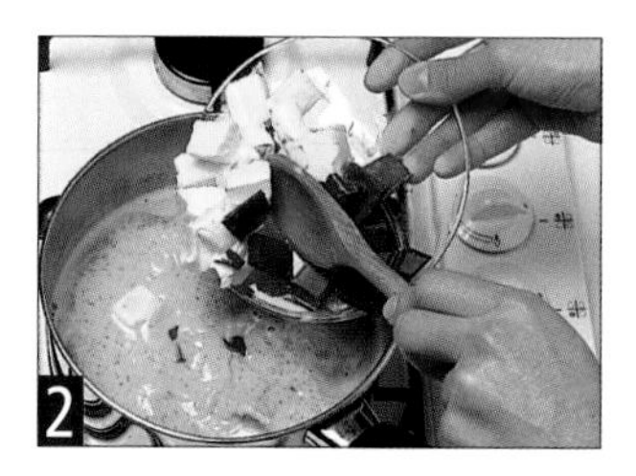
2

3 Agregue el arroz y baje el fuego al mínimo. Tápelo y déjelo hervir 30 minutos, removiendo de vez en cuando, hasta que se haya absorbido toda la leche y la mezcla esté espesa. Añada la esencia de vainilla y el brandy. Apártelo del fuego y deje que se enfríe a temperatura ambiente.

3

4 Monte la nata con una varillas eléctricas. Incorpore luego una cucharada colmada de nata en el arroz al chocolate y, a continuación, añada el resto.

4

5 Reparta el postre entre platos de cristal, tápelos y déjelos en la nevera unas 2 horas. Si lo desea, puede decorarlo con nata montada y virutas de chocolate rápidas.

crema de chocolate al pernod

para 4 personas

55 g de chocolate negro troceado
250 ml de leche
300 ml de nata espesa
2 cucharadas de azúcar lustre
1 cucharada de arrurruz disuelta en 2 cucharadas de leche
3 cucharadas de Pernod
lenguas de gato o barquillos bañados en chocolate, para servir

1 Disponga el chocolate troceado en un recipiente para derretirlo al baño María, o en un cuenco resistente al calor colocado sobre una cazuela con agua hirviendo a fuego lento. Remueva constantemente hasta que se funda. Apártelo del fuego y deje que se entibie.

2 Vierta la leche y la nata en un cazo y caliéntelo a fuego lento, removiendo de vez en cuando. Retírelo del fuego justo antes de que rompa el hervor; reserve.

3 Incorpore el azúcar y la mezcla de arrurruz al chocolate fundido. Añada la mezcla de leche y nata poco a poco, y después el Pernod. Vuelva a calentarlo a fuego lento en el mismo recipiente, unos 10 minutos más, sin dejar de remover, hasta que la mezcla quede espesa y homogénea. Apártela del fuego y deje que se enfríe.

4 Vierta la crema en 4 copas. Cúbralas con film transparente y déjelas en la nevera 2 horas. Sirva la crema de chocolate al Pernod acompañada con lenguas de gato o barquillos bañados en chocolate.

Pastelitos y galletas

Este capítulo contiene todo tipo de recetas deliciosas para los amantes del chocolate que, no cabe duda, se sentirán atraídos por la fantástica variedad de pastas y pastelitos que se ofrecen en él. Convierta un día cualquiera en algo especial acompañando el café o complementando un postre con una galleta de chocolate casera. Aunque algunas recetas son un poco más laboriosas, la mayoría son rápidas y fáciles de preparar, y la decoración suele ser sencilla, aunque, por supuesto, puede dejarse llevar por su imaginación.

Encontrará desde recetas clásicas, como *muffins* y galletas con gotas de chocolate, madalenas mariposa y *brownies* de chocolate, hasta galletas y pastelitos innovadores como las pastas de chocolate y coco o los triángulos de chocolate malteado. Por último, hemos añadido chocolate a algunas recetas tradicionales, como los bollos de chocolate y las pastas de avena chocolateadas.

saboyanas de chocolate

para 4 unidades

100 g de harina
2 cucharadas de cacao en polvo
1 bolsita de 6 g de levadura de fácil disolución
una pizca de sal
1 cucharada de azúcar lustre
40 g de chocolate negro, rallado
2 huevos
3 cucharadas de leche tibia
50 g de mantequilla fundida

ALMÍBAR
4 cucharadas de miel
2 cucharadas de agua
4 cucharadas de ron

PARA SERVIR
nata montada
cacao en polvo, para espolvorear
fruta fresca (opcional)

1 Engrase 4 moldes individuales para saboyanas. En un cuenco grande y caliente, tamice la harina con el cacao en polvo. Añada la levadura, la sal, el azúcar y el chocolate rallado. Bata el huevo con la mantequilla y la leche.

2 Haga un hoyo en el centro de los ingredientes secos y vierta dentro la mezcla de huevo. Bátalo 10 minutos, para formar una pasta, preferiblemente en el robot de cocina. Reparta la pasta entre los moldes: deberían quedar llenos hasta la mitad.

2

2

3 Ponga los moldes en una bandeja y cúbralos con un paño de cocina húmedo. Déjelos en un lugar cálido hasta que la pasta suba casi hasta el borde. Cueza los bizcochos en el horno precalentado a 200 ºC unos 15 minutos.

3

4 Para el almíbar, caliente en un cazo, a fuego lento, todos los ingredientes. Desmolde las saboyanas y dispóngalas sobre una rejilla colocada sobre una bandeja. Rocíelas con el almíbar y déjelas reposar al menos 2 horas para que se impregnen bien. Durante ese tiempo, recoja el almíbar que haya caído en la bandeja y viértalo sobre los pasteles una o dos veces.

5 Rellene el centro de las saboyanas con la nata montada y espolvoree con un poco de cacao en polvo. Puede servirlas con fruta.

brownies con crema de chocolate

para 16 unidades

200 g de queso cremoso desnatado
½ cucharadita de esencia de vainilla
250 g de azúcar lustre
2 huevos
100 g de mantequilla
3 cucharadas de cacao en polvo
100 g de harina de fuerza, tamizada
50 g de pacanas, troceadas

COBERTURA DE CHOCOLATE
50 g de mantequilla
1 cucharada de leche
100 g de azúcar glasé
2 cucharadas de cacao en polvo
pacanas para decorar (opcional)

1 Engrase ligeramente un molde llano cuadrado de 20 cm de lado y forre la base.

2 Bata el queso con la esencia de vainilla y 25 g de azúcar lustre hasta que quede suave. Reserve.

3 Bata los huevos con el resto del azúcar hasta obtener una crema ligera y esponjosa. En un cazo, derrita la mantequilla con el cacao en polvo, a fuego muy suave y removiendo, hasta que quede bien mezclado. Incorpórelo a la crema de huevo y después añada la harina y las pacanas.

4 Vierta la mitad de la pasta en el molde y alise la superficie. Con cuidado, extienda el queso por encima y cúbralo con el resto de la pasta. Cueza el pastel a 180 °C en el horno precalentado durante 40-45 minutos. Deje que se enfríe en el molde.

5 Para preparar la cobertura, derrita la mantequilla con la leche. Añada el azúcar glasé y el cacao en polvo. Extienda la cobertura sobre el pastel y decórelo con pacanas, si lo desea. Deje que la cobertura cuaje y, después, corte el pastel en porciones.

VARIACIÓN

Puede prescindir de la capa de queso y utilizar nueces en lugar de pacanas.

pain au chocolat

para 12 unidades

450 g de harina
½ cucharadita de sal
1 bolsita de 6 g de levadura
25 g de margarina vegetal
1 huevo, ligeramente batido
225 ml de agua tibia
175 g de mantequilla, ablandada
100 g de chocolate negro, troceado en 12 pedazos
huevo batido, para pintar
azúcar glasé, para espolvorear

1 Engrase ligeramente una bandeja para el horno. Tamice la harina y la sal en un cuenco grande, y añada la levadura. Agregue la margarina y mézclelo todo con los dedos. Añada el huevo y agua suficiente para hacer una pasta suave. Amase la pasta durante 10 minutos, hasta que quede suave y elástica.

2 Extienda la pasta con el rodillo hasta formar un rectángulo de 37,5 x 20 cm. Divida la mantequilla en 3 partes, trocee una de las partes y espárzala sobre ⅔ del rectángulo, dejando libre un reborde estrecho.

3 Doble el rectángulo sobre sí mismo en 3, empezando por la parte sin mantequilla. Selle los bordes presionándolos con un rodillo. Gire la pasta 90 º de modo que los bordes sellados queden arriba y abajo. Vuelva a extender la pasta con el rodillo y dóblela de nuevo (sin añadir mantequilla), y después envuélvala con film transparente y déjela unos 30 minutos en la nevera.

4 Repita los pasos 2 y 3 hasta que se acabe la mantequilla. Enrolle la pasta y dóblela otras dos veces, sin añadir mantequilla. Déjela en la nevera los últimos 30 minutos.

5 Extienda la pasta en una lámina de 45 x 30 cm, recorte los bordes y córtela por la mitad. Corte cada mitad en 6 rectángulos y píntelos con huevo batido. Coloque un trozo de chocolate en un extremo de cada rectángulo y enróllelo. Presione los bordes para unirlos y coloque los rollitos, con el doblez hacia abajo, sobre una bandeja para el horno. Cúbralos y déjelos unos 40 minutos en un lugar cálido. Píntelos con huevo y cuézalos en el horno precalentado a 220 ºC unos 20 minutos, hasta que se doren. Deje que se enfríen sobre una rejilla.

1

2

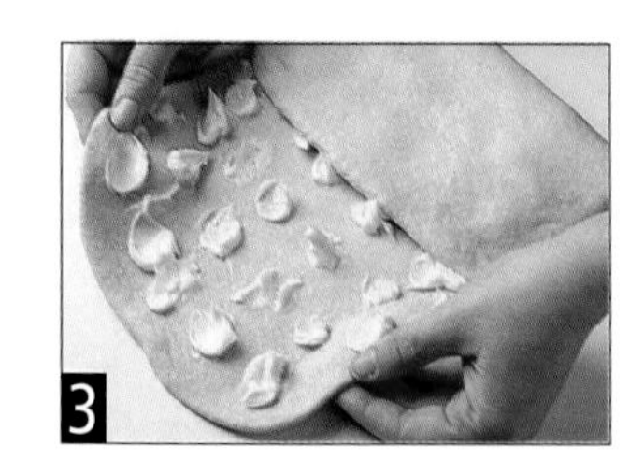
3

caprichos de chocolate y nata

para 6 unidades

2 huevos
4 cucharadas de azúcar lustre
6 cucharadas de harina
1½ cucharadas de cacao en polvo
4 cucharadas de mermelada de albaricoque
150 ml de nata espesa, montada
azúcar glasé, para espolvorear

1 Forre 2 bandejas para el horno con papel vegetal. Bata los huevos con el azúcar lustre unos 10 minutos hasta obtener una crema espumosa muy ligera, de manera que al levantar las varillas se forme un hilo que se desprenda despacio.

2 Tamice la harina con el cacao. Con una cuchara metálica o con una espátula, incorpórelo poco a poco a la crema, trazando un movimiento en forma de 8.

3 Esparza varias cucharadas de pasta sobre las bandejas y extiéndalas dándoles forma ovalada, Asegúrese de dejar suficiente espacio entre ellas, ya que crecerán durante la cocción.

4 Cueza los bizcochos en el horno precalentado a 200 °C durante unos 6-8 minutos, hasta que queden esponjosos. Deje que se enfríen un poco en las bandejas.

5 Cuando estén tibios, colóquelos sobre un paño de cocina húmedo y déjelos reposar hasta que se enfríen del todo. Unte el lado plano de los bizcochos con mermelada y, con una cuchara o manga pastelera, cubra con un poco de nata montada el centro.

6 Doble los bizcochos por la mitad y colóquelos en una fuente. Sírvalos espolvoreados con azúcar glasé.

cubos de chocolate sin hornear

para 16 unidades

- 275 g de chocolate negro
- 175 g de mantequilla
- 4 cucharadas de melaza de caña
- 2 cucharadas de ron oscuro (opcional)
- 175 g de galletas María
- 25 g de arroz inflado
- 50 g de nueces o pacanas, troceadas
- 100 g de guindas confitadas, picadas gruesas
- 25 g de chocolate blanco, para decorar

1 Ponga el chocolate negro en un cuenco grande con la mantequilla, la melaza y el ron, si lo va a utilizar, y colóquelo sobre una cazuela con agua caliente a fuego suave; remueva hasta que todo quede derretido y bien mezclado.

2 Trocee las galletas e incorpórelas a la crema de chocolate, junto con los cereales, las nueces y las guindas.

3 Forre un molde cuadrado de unos 18 cm de lado con papel vegetal. Vierta la pasta en el molde y alise la superficie, presionando bien con el dorso de una cuchara. Deje el pastel 2 horas en la nevera.

4 Para decorar, derrita el chocolate blanco y dibuje con él unos hilos por encima del pastel. Déjelo cuajar. Para servir, desmolde con cuidado el pastel y retire el papel. Córtelo en 16 cubos.

VARIACIÓN

En lugar de ron, puede utilizar brandy o licor de naranja. También quedaría bien con licor de cereza.

madalenas mariposa de chocolate

para 12 unidades

125 g de margarina ablandada
125 g de azúcar lustre
150 g de harina de fuerza
2 huevos grandes
2 cucharadas de cacao en polvo
25 g de chocolate negro, fundido

CREMA DE MANTEQUILLA Y LIMÓN
100 g de mantequilla sin sal
225 g de azúcar glasé, tamizado
la ralladura de ½ limón
1 cucharada de zumo de limón
azúcar glasé, para espolvorear

1 Forre un molde múltiple con 12 capacillos para madalenas. Ponga todos los ingredientes para la pasta, excepto el chocolate, en un cuenco grande, y bátalos con las varillas eléctricas hasta que la pasta quede suave. Añada el chocolate derretido.

2 Con una cuchara, reparta la pasta entre los capacillos, llenándolos hasta las ¾ partes. Cueza las madalenas en el horno precalentado a 180 °C, durante unos 15 minutos o hasta que estén esponjosas. Deje que se enfríen sobre una rejilla.

3 Para el relleno, bata la mantequilla en un bol hasta quedar esponjosa. Incorpore, poco a poco, el azúcar glasé. Añada la ralladura y, gradualmente, el zumo, batiendo bien.

4 Cuando estén frías, corte la parte superior de las madalenas con un cuchillo de sierra, y cada parte superior en dos trozos.

5 Rellene la superficie rebanada con la crema de mantequilla, y presione los dos trozos cortados por encima para formar las mariposas. Espolvoree con azúcar glasé.

bollos de chocolate

para 4 unidades

225 g de harina de fuerza, tamizada

5 cucharadas de mantequilla

1 cucharada de azúcar lustre

50 g de gotas de chocolate

unos 150 ml de leche

SUGERENCIA

Sirva los bollos recién hechos y calientes. Rebánelos y rellénelos con un poco de crema de chocolate y avellana, o con una generosa cucharada de nata.

1 Engrase ligeramente una bandeja para el horno. Corte en trocitos la mantequilla y mézclela en un cuenco con la harina hasta que quede bien consistente

2 A continuación, añada el azúcar y las gotas de chocolate.

3 Agregue suficiente leche para poder obtener una pasta suave.

4 Sobre una superficie enharinada, extienda la pasta con el rodillo, formando un rectángulo de 10 x 15 cm y unos 2,5 cm de grosor. Corte la pasta en 9 cuadrados.

5 Espacie bien las porciones en la bandeja para hornearlas.

6 Pinte los bollos con un poco de leche y cuézalos en el horno precalentado a 220 °C durante unos 10-12 minutos, hasta que hayan subido y estén dorados.

1

2

4

bocaditos crujientes de chocolate

para 16 unidades

CAPA BLANCA

55 g de mantequilla

1 cucharada de melaza de caña

150 g de chocolate blanco

50 g de arroz inflado

CAPA OSCURA

50 g de mantequilla

2 cucharadas de melaza de caña

125 g de chocolate negro, troceado

75 g de arroz inflado

SUGERENCIA

Puede preparar estos bocaditos hasta con 4 días de antelación, y guardarlos, bien envueltos, en la nevera.

1 Engrase un molde cuadrado de 20 cm de lado y fórrelo con papel vegetal.

2 Para preparar la capa de chocolate blanco, derrita la mantequilla, la melaza de caña y el chocolate blanco en un cuenco colocado sobre un cazo con agua caliente, a fuego lento.

3 Retírelo del fuego, añada los cereales y mézclelo bien.

3

4 Extienda la pasta sobre la base del molde, y alísela.

5 Para preparar la otra capa, derrita la mantequilla, el chocolate negro y la melaza de caña del mismo modo.

6 Retírelo del fuego y añada el arroz, removiendo. Extienda la capa de chocolate negro sobre la de chocolate blanco endurecida, y refrigérela hasta que también se endurezca.

6

7 Una vez desmoldado, córtelo en pequeños cuadrados con un cuchillo afilado.

7

pastas de chocolate y coco

para 9 unidades

225 g de galletas integrales de chocolate
85 g de mantequilla o margarina
175 g de leche evaporada
1 huevo batido
1 cucharadita de esencia de vainilla
2 cucharadas de azúcar lustre
6 cucharadas de harina de fuerza, tamizada
125 g de coco rallado
50 g de chocolate negro (opcional)

1 Engrase un molde de 20 cm de lado y fórrelo con papel vegetal.

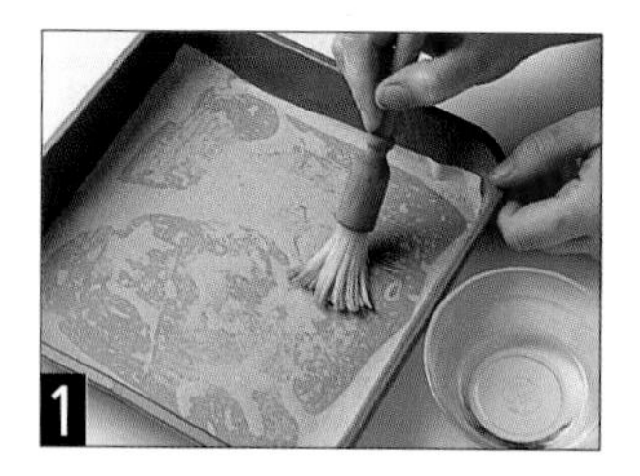
1

2 Introduzca las galletas en una bolsa de plástico y tritúrelas con el rodillo, o bien en la picadora.

3 Derrita la mantequilla o margarina en un cazo, incorpore la galleta triturada, y mézclelo bien.

3

4 Deposite la pasta en el molde y extiéndala por toda la base, presionando bien.

5 Bata la leche evaporada con el huevo, la vainilla y el azúcar, hasta que quede suave. Añada la harina y el coco rallado. Vierta la pasta sobre la base de galleta y alise la superficie.

5

6 Cueza el pastel en el horno precalentado a 190 °C unos 30 minutos, hasta que la cobertura esté firme y dorada.

7 Deje que se entibie en el molde unos 5 minutos, y córtelo en cuadrados. Espere a que se acabe de enfriar dentro del molde.

8 Con cuidado, extraiga del molde los cuadrados y colóquelos sobre una tabla. Derrita el chocolate negro y rocíe los cuadrados para decorarlos. Deje que el chocolate cuaje antes de servir las pastas.

VARIACIÓN

Estas pastas se conservan hasta 4 días en un recipiente hermético y 2 meses, sin decorar, en el congelador. Descongélelas a temperatura ambiente.

éclairs de chocolate

para 10 unidades

PASTA *CHOUX*

150 ml de agua

60 g de mantequilla, en trocitos

90 g de harina, tamizada

2 huevos

CREMA PASTELERA

2 huevos ligeramente batidos

4 cucharadas de azúcar lustre

2 cucharadas de harina de maíz

300 ml de leche

¼ de cucharadita de esencia de vainilla

COBERTURA

25 g de mantequilla

1 cucharada de leche

1 cucharada de cacao en polvo

100 g de azúcar glasé

un poco de chocolate blanco, fundido

1 Engrase una bandeja para el horno. Vierta el agua en un cazo, añada la mantequilla y caliéntelo a fuego lento hasta que se derrita. Cuando hierva, retírelo del fuego. Añada toda la harina y bata bien hasta que la pasta se desprenda de los lados del cazo y forme una bola.Cuando esté tibia, añada los huevos de uno en uno y bata hasta formar una pasta suave y satinada. Rellene con ella una manga pastelera con una boquilla lisa de 1 cm.

2 Rocíe la bandeja con un poco de agua. Forme cilindros de pasta de 7,5 cm, dejando espacio entre ellos. Cuézalos en el horno precalentado a 200 °C durante 30-35 minutos, o hasta que se doren. Haga una incisión en cada *éclair* para que salga el vapor, y deje que se enfríen sobre una rejilla.

3 Para la crema, bata el huevo con el azúcar hasta obtener una crema espesa y añada la harina de maíz. Caliente la leche, sin dejar que llegue a hervir, y viértala sobre la crema, batiendo. Caliéntela a fuego lento, removiendo, hasta que se espese. Retire el cazo del fuego y añada la vainilla. Cubra la crema con papel vegetal y deje que se enfríe.

4 Para preparar la cobertura, derrita la mantequilla con la leche en un cazo, retírelo del fuego y añada el cacao y el azúcar. Corte los *éclairs* a lo largo y, con la manga, cubra las mitades inferiores con la crema pastelera. Tápelos con las otras mitades, extienda la cobertura por encima y adórnelos con un chorrito de chocolate blanco fundido.

2

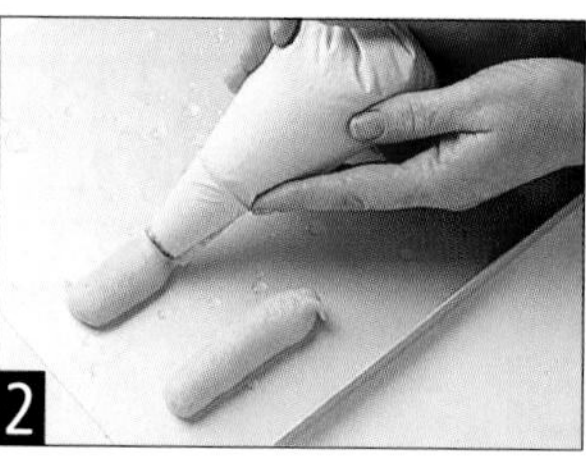
2

3

muffins con gotas de chocolate

para 12 unidades

100 g de margarina ablandada

225 g de azúcar lustre

2 huevos grandes

150 ml de yogur natural

5 cucharadas de leche

275 g de harina

1 cucharadita de bicarbonato sódico

175 g de gotas de chocolate negro

VARIACIÓN

Puede preparar 6 *muffins* grandes o 24 minis con la misma cantidad de pasta. Hornee los pequeños durante 10 minutos.

1 Forre 12 moldes para *muffins* con capacillos de papel.

2 Con una cuchara de madera, bata la margarina y el azúcar en un cuenco grande hasta obtener una crema ligera y esponjosa. Añada los huevos, el yogur y la leche, y mézclelo.

3 Tamice la harina con el bicarbonato e incorpórelo, removiendo para que quede bien mezclado.

2

3

4

4 Añada las gotas de chocolate y reparta la pasta entre los moldes. Cuézala en el horno precalentado a 190 °C, durante 25 minutos o hasta que al insertar un pincho de cocina en el centro, salga limpio. Manténgalos en el molde 5 minutos, y después deje que se enfríen del todo sobre una rejilla.

carquiñoles de chocolate

para 16 unidades

1 huevo

100 g de azúcar lustre

1 cucharadita de esencia de vainilla

125 g de harina blanca

½ cucharadita de levadura en polvo

1 cucharadita de canela molida

50 g de chocolate negro, en trocitos

50 g de almendras tostadas, fileteadas

50 g de piñones

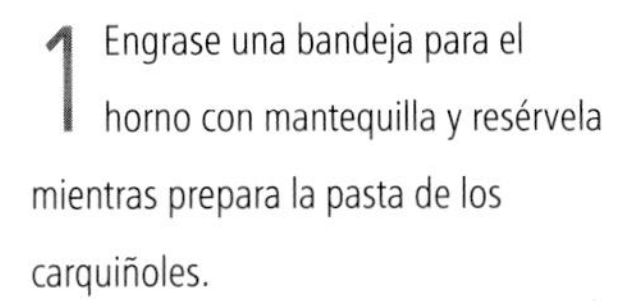

1 Engrase una bandeja para el horno con mantequilla y resérvela mientras prepara la pasta de los carquiñoles.

2 Bata el huevo, el azúcar y la esencia de vainilla con las varillas eléctricas hasta que la mezcla adquiera un tono claro y la pasta forme una cinta espesa al levantar las varillas.

3 En un cuenco aparte, tamice la harina, la levadura y la canela. Incorpore suavemente la mezcla al huevo batido. Añada el chocolate, las almendras y los piñones.

4 Disponga la pasta sobre una superficie enharinada y dele forma de tronco aplanado de 23 cm x 2 cm. Colóquela sobre la bandeja del horno.

5 Cueza la pasta en el horno precalentado a 180 °C durante 20-25 minutos, o hasta que esté dorada. Sáquela del horno y deje que se enfríe durante 5 minutos.

6 Con un cuchillo de sierra, corte la pasta en rodajas diagonales de 1 cm de grosor. Colóquelas sobre la bandeja del horno. Cuézalas unos 10-15 minutos más, dándoles la vuelta a media cocción.

7 Cuando ya estén tibios, coloque los carquiñoles sobre una rejilla metálica para que se acaben de enfriar.

3

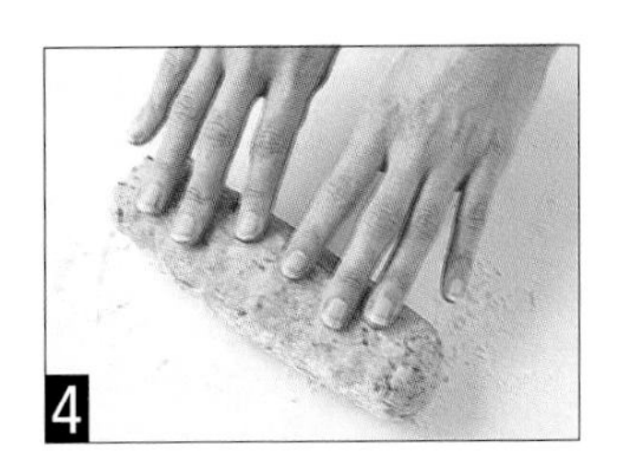

4

tartaletas con chocolate

para 6 unidades

50 g de avellanas tostadas
150 g de harina
1 cucharada de azúcar glasé
140 g de margarina ablandada
RELLENO
2 cucharadas de harina de maíz
1 cucharada de cacao en polvo
1 cucharada de azúcar lustre
300 ml de leche semidesnatada
3 cucharadas de crema de chocolate y avellanas
2 ½ cucharadas de gotas de chocolate negro, 2 ½ de chocolate con leche y 2 ½ de blanco

1 Pique las avellanas bien finas en una picadora. Añada la harina, 1 cucharada de azúcar y la margarina. Bata unos segundos hasta que la mezcla parezca pan rallado. Añada 2-3 cucharadas de agua y bata hasta obtener una pasta fina. Cúbrala y déjela 10 minutos en el congelador.

2 Extienda la pasta con el rodillo y forre con ella 6 moldes de unos 10 cm de diámetro. Pinche la base con un tenedor y fórrela con papel de aluminio un poco arrugado. Cueza las tartaletas en el horno precalentado a 200 ºC unos15 minutos. Retire el papel de aluminio y hornéelas unos 5 minutos más, hasta que queden crujientes y doradas. Retírelas del horno y deje que se enfríen.

3 Mezcle la harina de maíz con el cacao en polvo, el azúcar y suficiente leche para formar una pasta suave. Añada el resto de la leche. Viértalo en un cazo y cuézalo a fuego lento, removiendo hasta que se espese. A continuación, incorpore la crema de chocolate y avellanas.

4 Mezcle las gotas de chocolate y reserve una cuarta parte. Añada la mitad del resto a la crema. Cúbrala y déjela enfriar. A continuación, incorpore la otra mitad de las gotas. Con una cuchara, rellene las tartaletas con la crema y deje que se enfríen. Decórelas con las gotas de chocolate reservadas.

2

1

3

galletas de chocolate y naranja

para 30 unidades

85 g de mantequilla ablandada
6 cucharadas de azúcar lustre
1 huevo
1 cucharada de leche
225 g de harina
2 cucharadas de cacao en polvo
COBERTURA
175 g de azúcar glasé, tamizado
3 cucharadas de zumo de naranja
un poco de chocolate negro, fundido

1 Forre 2 bandejas para el horno con papel vegetal.

2 Bata la mantequilla con el azúcar hasta obtener una crema ligera y esponjosa. Añada el huevo y la leche y siga batiendo. Tamice la harina con el cacao en polvo e incorpórelo despacio a la crema para formar una pasta suave. Incorpore la última parte de la harina con las manos, amasando.

3 Sobre una superficie enharinada, extienda la pasta en una lámina de 6 mm de grosor. Con un cortapastas acanalado de 5 cm, corte todas las galletas que pueda. Amase y extienda los restos de pasta, para recortar más.

4 Póngalas sobre las bandejas y cuézalas en el horno precalentado a 180 °C unos 10-12 minutos, hasta que estén doradas.

5 Deje que se entibien en la bandeja unos minutos y después páselas a una rejilla para que se enfríen del todo.

6 Para hacer la cobertura, ponga el azúcar glasé en un cuenco y añada zumo de naranja suficiente para formar una pasta fina que cubra el dorso de una cuchara. Vierta una cucharadita de cobertura sobre la superficie de cada galleta, dejándola cuajar, y después un hilillo de chocolate fundido. Sirva las galletas cuando se haya secado.

pastelitos de chocolate y caramelo

para 16 unidades

100 g de margarina ablandada

4 cucharadas de azúcar mascabado

125 g de harina

40 g de copos de avena

RELLENO DE CARAMELO

25 g de mantequilla

2 cucharadas de azúcar mascabado

200 g de leche condensada

COBERTURA

100 g de chocolate negro

25 g de chocolate blanco (opcional)

1 En un bol, bata la margarina con el azúcar hasta obtener una crema ligera y esponjosa. Añada la harina y los copos de avena. Si es necesario, acabe de mezclar bien la pasta con las manos.

2 Extienda la pasta sobre la base de un molde llano y cuadrado de 20 cm de lado.

3 Cuézala en el horno precalentado a 180 °C durante 25 minutos, o hasta que esté dorada y firme. Déjela enfriarse en el molde.

4 Ponga todos los ingredientes del relleno en un cazo y caliéntelo a fuego lento, removiendo hasta que el azúcar se haya disuelto y todo esté bien mezclado. Llévelo a ebullición, a fuego muy suave, y deje que hierva durante 3-4 minutos, removiendo hasta que se espese.

5 Vierta el relleno de caramelo sobre la base de galleta del molde y deje que cuaje.

6 Funda el chocolate y extiéndalo sobre el caramelo. Si lo desea, derrita el chocolate blanco y deje caer unos hililIos por encima del chocolate negro con la manga pastelera. Con un palillo, una los trazos blancos. Cuando el chocolate esté cuajado, corte el pastel en cuadrados.

SUGERENCIA

Si lo prefiere, puede forrar el molde con papel vegetal para poder desmoldar el pastel antes de cortarlo en trozos.

triángulos de chocolate malteado

para 16 unidades

100 g de mantequilla
2 cucharadas de melaza de caña
2 cucharadas de alguna bebida de chocolate malteado
225 g de galletas de leche malteada
75 g de chocolate negro o con leche
2 cucharadas de azúcar glasé
2 cucharadas de leche

1 Engrase un molde llano de unos 18 cm de diámetro y forre la base con papel vegetal.

2 Caliente la mantequilla, la melaza y la bebida de chocolate malteado en un cazo, a fuego suave, sin dejar de remover hasta que la mantequilla se derrita y todo esté bien mezclado.

2

3 Introduzca las galletas en una bolsa de plástico y tritúrelas con el rodillo, o bien en la picadora. Añada las migas a la mezcla de chocolate y remueva bien.

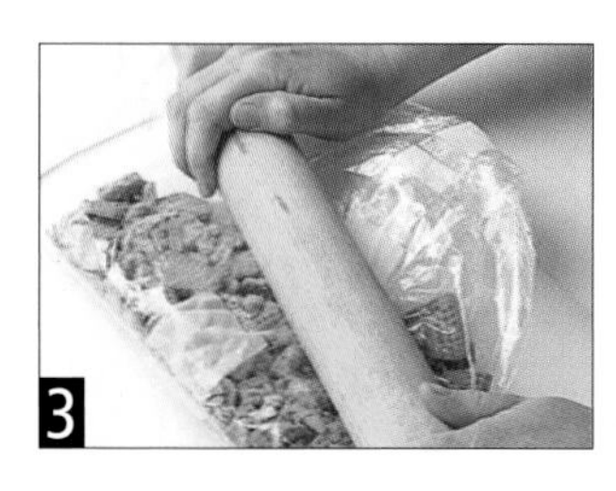
3

4 Extienda la pasta en el molde, ejerciendo presión, y consérvela en la nevera hasta que esté firme.

5 Ponga el chocolate troceado, el azúcar glasé y la leche en un bol pequeño resistente al fuego. Colóquelo sobre una cazuela con agua caliente a fuego suave, y remueva hasta que el chocolate esté fundido y la mezcla homogénea.

6 Extienda la cobertura de chocolate sobre la base de galleta y deje que cuaje en el molde. Con un cuchillo afilado, corte los triángulos antes de servir a la mesa.

6

VARIACIÓN

Si lo desea, puede añadir pacanas a la pasta de galleta en el paso 3.

cuadrículas de chocolate

para 18 unidades

175 g de mantequilla ablandada
6 cucharadas de azúcar glasé
1 cucharadita de esencia de vainilla
o la ralladura de ½ naranja
250 g de harina
25 g de chocolate negro, fundido
un poco de clara de huevo batida

1 Engrase ligeramente una bandeja para el horno. En un bol, bata la mantequilla con el azúcar glasé hasta obtener una crema ligera y esponjosa. Añada la esencia de vainilla o la ralladura de naranja.

2 Incorpore la harina poco a poco para formar una pasta suave. Cuando añada la última parte de la harina, amase un poco con las manos.

3 Divida la pasta en 2 partes iguales e incorpore el chocolate fundido a una de las mitades. Cubra las dos partes por separado, y deje que se enfríen en la nevera unos 30 minutos.

4 Extienda cada trozo de pasta con el rodillo en un rectángulo de unos 7,5 x 20 cm x 3 cm. Pinte uno de los dos con un poco de clara de huevo batida y coloque la otra capa encima.

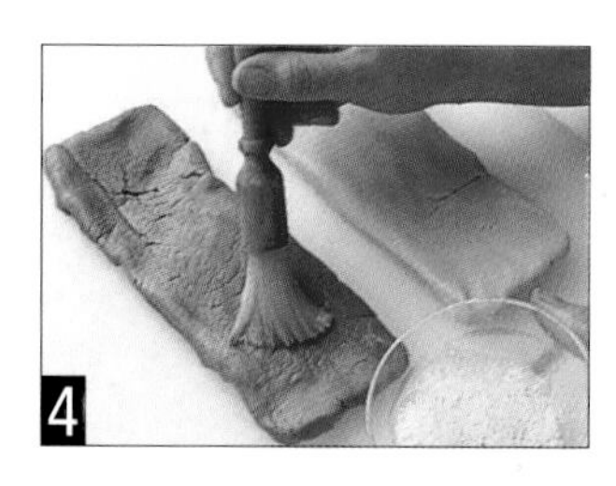
4

5 Corte el bloque de pasta por la mitad a lo largo, y dele la vuelta a una mitad. Pinte el lado de una tira con clara de huevo y únala a la otra tira para formar la cuadrícula.

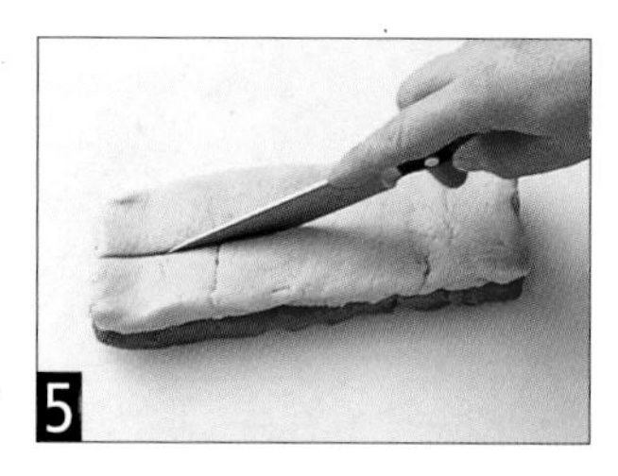
5

6 Corte en rebanadas finas el bloque de pasta, y colóquelas sobre la bandeja de hornear, dejando espacio entre ellas pues aumentan un poco de volumen durante la cocción.

6

7 Cueza las cuadrículas en el horno precalentado a 180 °C durante unos 10 minutos, hasta que estén firmes. Deje que se entibien en la bandeja unos minutos antes de pasarlas con una espátula a una rejilla metálica para que se acaben de enfriar.

merengues de chocolate

para 8 unidades

4 claras de huevo

225 g de azúcar lustre

1 cucharadita de harina de maíz

40 g de chocolate negro, rallado

PARA RELLENAR

100 g de chocolate negro

150 ml de nata espesa

1 cucharada de azúcar glasé

1 cucharada de brandy (opcional)

1 Forre 2 bandejas para el horno con papel vegetal. Bata las claras a punto de nieve y, poco a poco, añada la mitad del azúcar. Siga batiendo hasta obtener un merengue muy espeso y satinado.

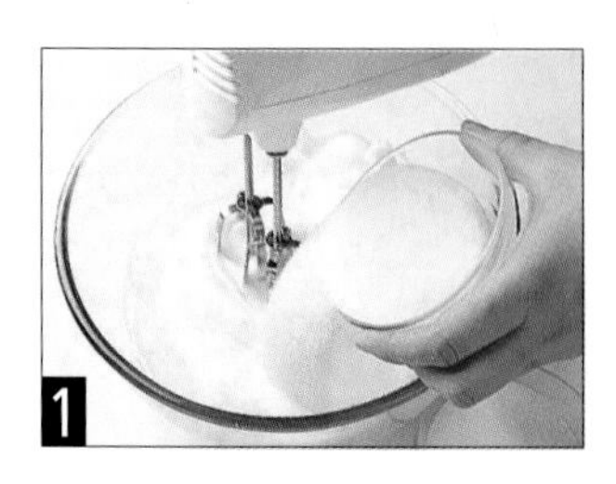

2 Con cuidado, agregue el resto del azúcar, la harina de maíz y el chocolate rallado con una cuchara metálica o con una espátula.

3 Rellene con el merengue una manga pastelera equipada con una boquilla lisa o en forma de estrella. Deposite seis rosetas o montoncitos grandes sobre las bandejas forradas.

4 Cueza los merengues en el horno precalentado a 140 °C durante 1 hora; intercambie las bandejas a media cocción. Sin abrir la puerta del horno, apague el fuego y déjelos enfriar dentro del horno. Una vez fríos, retire con cuidado el papel vegetal.

5 Derrita el chocolate negro y cubra con él la base de los merengues. Déjelos boca abajo sobre una rejilla metálica hasta que el chocolate esté cuajado. Monte la nata con el azúcar y el brandy, si lo utiliza. Introduzca la nata en una manga pastelera, cubra la mitad de los merengues con la nata, y tápelos con los restantes.

VARIACIÓN

Para merengues en miniatura, utilice una boquilla en forma de estrella y prepare 24 rosetas pequeñas. Hornéelos 40 minutos.

merengues de chocolate mexicanos

para 25 unidades

4-5 claras de huevo, a temperatura ambiente
1 pizca de sal
¼ cucharadita de crémor tártaro
¼-½ cucharadita de esencia de vainilla
175-200 g de azúcar lustre
⅛-¼ cucharadita de canela molida
115 g de chocolate al 75% de cacao, rallado
PARA SERVIR
Canela en polvo, para espolvorear
115 g de fresas
nata montada con sabor a chocolate (véase Sugerencia)

1 Bata las claras de huevo hasta que formen espuma y luego añada la sal y el crémor tártaro. A continuación, móntelas a punto de nieve. Agregue la esencia de vainilla y luego, poco a poco, el azúcar hasta obtener un merengue firme de aspecto satinado.

2 Incorpore la canela y el chocolate rallado. Sobre una hoja de papel vegetal sin engrasar, deposite varios montoncitos de unas dos cucharadas de pasta cada uno, dejando suficiente espacio entre ellos.

3 Cuézalos en el horno precalentado a 150 °C unas dos horas, hasta que queden crujientes.

4 Sáquelos de la bandeja. Si los merengues están todavía blandos, introdúzcalos de nuevo en el horno para que se sequen y queden firmes. Deje que se enfríen.

SUGERENCIA

Para la nata montada con sabor a chocolate, incorpore chocolate troceado medio fundido a la nata montada, y luego enfríela.

5 Espolvoree los merengues con un poco de canela y acompáñelos con fresas y nata montada con sabor a chocolate.

1

2

2

lenguas de chocolate vienesas

para 18 unidades

125 g de mantequilla sin sal

6 cucharadas de azúcar glasé

175 g de harina de fuerza, tamizada

3 cucharadas de harina de maíz

200 g de chocolate negro

1 Engrase 2 bandejas de hornear. En un bol, bata la mantequilla con el azúcar hasta obtener una crema ligera y esponjosa. Añada, poco a poco, la harina blanca y la de maíz.

2 Derrita 75 g de chocolate negro e incorpórelo a la pasta.

3 Rellene con la pasta una manga pastelera equipada con una boquilla grande en forma de estrella y deposite tiras de 5 cm de pasta sobre las bandejas, separadas entre ellas.

4 Cueza las pastas en el horno precalentado a 190 °C durante 12-15 minutos.

SUGERENCIA

Si la pasta está demasiado espesa para utilizar la manga pastelera, aclárela con un poco de leche.

1

3

6

5 Deje que las lenguas se entibien en la bandeja antes de pasarlas a una rejilla metálica para que se acaben de enfriar.

6 Funda el resto del chocolate y sumerja en él una punta de cada pasta; deje escurrir el exceso de chocolate en el cuenco.

7 Ponga las pastas sobre una hoja de papel vegetal y deje que el chocolate cuaje antes de servirlas.

palmeritas de chocolate y avellana

para 26 unidades

375 g de pasta de hojaldre preparada

8 cucharadas de crema de chocolate y avellanas

50 g de avellanas tostadas picadas

25 g de azúcar lustre

2

3

3

1 Engrase ligeramente una bandeja para el horno. Con el rodillo, extienda la pasta de hojaldre sobre una superficie ligeramente enharinada, en un rectángulo de 37,5 x 23 cm.

2 Con una espátula, unte la pasta con la crema de chocolate y esparza encima las avellanas picadas.

3 Enrolle uno de los lados largos de la pasta hacia el interior y después el otro, para que se encuentren en el centro. Humedezca la pasta en el lugar de la unión para adherirla. Con un cuchillo afilado, corte el hojaldre en rebanadas finas. Coloque las pastas sobre la bandeja de hornear y alíselas un poco con una espátula. Espolvoree las palmeritas con el azúcar lustre.

VARIACIÓN

Para potenciar el sabor a chocolate, sumerja las palmeritas en chocolate fundido hasta cubrir una mitad. Coloque las palmeritas sobre una hoja de papel vegetal y espere a que el chocolate quede cuajado.

4 Cuézalas en el horno precalentado a 200 °C durante 10-15 minutos, hasta que estén doradas. Deje que se enfríen sobre una rejilla metálica.

tartaletas con pudín de arroz

para 6 unidades

1 paquete de pasta quebrada, ya preparada
1 litro de leche
1 pizca de sal
100 g de arroz *arborio*, o de grano pequeño
1 vaina de vainilla, partida por la mitad, con las semillas reservadas aparte
1 cucharada de harina de maíz
2 cucharadas de azúcar
cacao en polvo, para espolvorear

GANACHE DE CHOCOLATE
200 ml de nata espesa
1 cucharada de melaza de caña
175 g de chocolate al 75% de cacao, en trozos pequeños
15 de mantequilla sin sal

1 Descongele la pasta y forre con ella 10 moldes para tartaletas. Rellénelas con legumbres secas y cuézalas en el horno precalentado a 200 ºC unos 20 minutos, sin abrir el horno. Cuando la pasta esté cocida y tenga los bordes dorados, saque las tartaletas del horno y colóquelas sobre una rejilla metálica.

2 Para preparar la *ganache*, mezcle la nata con la melaza y llévelo a ebullición. Apártelo del fuego y añada inmediatamente el chocolate. Remueva hasta obtener una mezcla homogénea. Incorpore la mantequilla. Reparta la crema en las tartaletas hasta una altura de 2,5 cm. Reserve.

3 Añada la sal a la leche y llévela a ebullición en un cazo. Agregue el arroz, y cuando vuelva a hervir añada las semillas y la vaina. Baje el fuego y deje que hierva lentamente hasta que el arroz esté cocido y la leche, cremosa.

4 Mezcle la harina de maíz con el azúcar en un bol pequeño y añada 2 cucharadas de agua para obtener una pasta. Incorpórele unas cucharadas de arroz con leche y vierta la mezcla en el arroz. Llévelo de nuevo a ebullición y mantenga el hervor durante1 minuto, hasta que se espese.

5 Con una cuchara, reparta el arroz en las tartaletas, llenándolas hasta el borde. Déjelas a temperatura ambiente. Para servir, espolvoréelas con cacao en polvo y, con una manga pastelera, adorne cada tartaleta con una espiral fina de chocolate fundido.

2

2

5

brownies de chocolate y fruta seca

para 12 unidades

- 55 g de dátiles no azucarados y 55 g de ciruelas pasas que no necesitan remojo, deshuesados y picados
- 6 cucharadas de zumo de manzana sin azúcar
- 4 huevos medianos, batidos
- 300 g de azúcar moreno mascabado
- 1 cucharadita de esencia de vainilla
- 4 cucharadas de chocolate en polvo y un poco más, para espolvorear
- 2 cucharadas de cacao en polvo
- 175 g de harina blanca
- 55 g de gotas de chocolate negro

COBERTURA

- 125 g de azúcar glasé
- 1-2 cucharaditas de agua
- 1 cucharadita de esencia de vainilla

SUGERENCIA

Prepare el doble de pasta, corte uno de los bizcochos en rectángulos, congélelos por separado y guárdelos en bolsas de plástico. Utilícelos cuando los necesite. Se descongelan con rapidez.

1 Precaliente el horno a 180 °C. Engrase y forre con papel vegetal un molde de 18 x 28 cm. Ponga los dátiles y las ciruelas en un pequeño cazo y añada el zumo de manzana. Llévelo a ebullición, tápelo y déjelo hervir 10 minutos hasta que las frutas queden blandas. Bata la mezcla hasta obtener una pasta homogénea y deje que se enfríe.

2 Pase la mezcla a un cuenco e incorpore los huevos, la esencia de vainilla y el azúcar. Tamice el cacao, el chocolate en polvo y la harina, y mézclelo con la fruta. Añada las gotas de chocolate y mezcle bien.

2

2

3 Vierta la pasta en el molde y alise la superficie. Cueza el bizcocho 20-25 minutos, hasta que quede firme al tacto. Córtelo en 12 rectángulos y deje que se entibien en el molde unos 10 minutos. Coloque los rectángulos sobre una rejilla metálica para que se enfríen completamente.

4 Tamice el azúcar glasé y mézclelo con la esencia de vainilla y agua suficiente para obtener una cobertura blanda pero no demasiado líquida.

5 Esparza la cobertura sobre los *brownies*, y espolvoree por encima con el chocolate en polvo adicional.

3

cannoli

para 20 unidades

3 cucharadas de zumo de limón
3 cucharadas de agua
1 huevo extra
250 g de harina blanca
1 cucharada de azúcar lustre
1 cucharadita de especias variadas, molidas
1 pizca de sal
25 g de mantequilla ablandada
aceite de girasol, para freír
1 clara de huevo pequeño

RELLENO

750 g de queso ricota, escurrido
4 cucharadas de azúcar glasé
1 cucharadita de esencia de vainilla
ralladura de una naranja grande
4 cucharadas de piel de fruta confitada, picada fina
50 g de chocolate negro, rallado
1 pizca de canela molida
2 cucharadas de vino de Marsala o zumo de naranja

1 Mezcle el zumo de limón con el agua y el huevo ligeramente batido. Ponga la harina, el azúcar, las especies y la sal en el recipiente de una batidora y bátalos. Con la batidora en marcha, agregue la mezcla de huevo. Siga batiendo hasta obtener una pasta.

2 Disponga la pasta sobre una superficie enharinada y amásela suavemente. Envuelva la pasta en un paño y déjela 1 hora en la nevera.

3 Para el relleno, bata el queso hasta que quede cremoso. Añada el azúcar glasé e incorpore los demás ingredientes. Cúbralo con film transparente y refrigérelo.

4 Extienda la pasta sobre una superficie enharinada formando una capa de 2 mm de grosor. Con una regla, corte trozos de 8,5 x 7,5 cm. Repita la operación con los restos de la pasta y prepare 20 trozos en total.

5 Caliente aceite a 190 °C en una sartén gruesa hasta una altura de 5 cm. Enrolle un trozo de pasta sobre un molde de *cannoli* engrasado, solapando los extremos. Selle la pasta con clara de huevo. Proceda igual con el resto. Fría 2 o 3 moldes a la vez, hasta que los *cannoli* estén dorados.

6 Deje escurrir los *cannoli* sobre papel de cocina. Cuando estén fríos, deslícelos de los moldes con cuidado. Repita la operación con el resto de los *cannoli*.

7 Los *cannoli* pueden conservarse sin relleno en un recipiente hermético hasta dos días. Rellénelos con la manga pastelera, como máximo, 30 minutos antes de servirlos, para que la pasta no se ablande. Antes de servirlos espolvoréelos con un poco de azúcar glasé.

galletas de chocolate y coco

para 24 unidades

- 125 g de margarina ablandada
- 1 cucharadita de esencia de vainilla
- 85 g de azúcar glasé, tamizado
- 125 g de harina
- 2 cucharadas de cacao en polvo
- 75 g de coco rallado
- 25 g de mantequilla
- 100 g de dulces de malvavisco blancos
- chocolate blanco, rallado

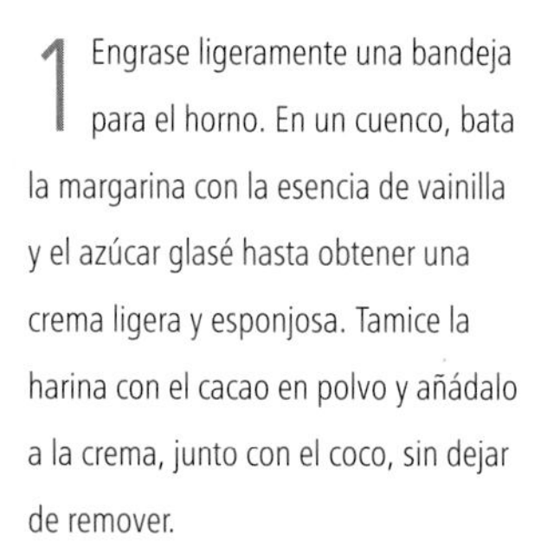

1 Engrase ligeramente una bandeja para el horno. En un cuenco, bata la margarina con la esencia de vainilla y el azúcar glasé hasta obtener una crema ligera y esponjosa. Tamice la harina con el cacao en polvo y añádalo a la crema, junto con el coco, sin dejar de remover.

2 Prepare las bolitas con la pasta y póngalas en la bandeja, dejando espacio entre ellas porque se agrandan durante la cocción. Aplánelas un poco.

3 Cuézalas en el horno precalentado a 180 ºC durante 12-15 minutos, hasta que estén consistentes.

4 Deje que se entibien en la bandeja unos minutos antes de pasarlas a una rejilla metálica para que se acaben de enfriar.

5 Introduzca la mantequilla y los dulces de malvavisco en un cazo, y caliéntelo a fuego suave, removiendo hasta que se derritan y estén bien mezclados. Extienda un poco de esta cobertura sobre cada galleta y espolvoréelas con coco rallado. Cuando la cobertura esté cuajada, decore las galletas con un poco de chocolate fundido y sírvalas cuando se haya secado.

2

3

5

almendrados holandeses

para 20 unidades

papel de arroz

2 claras de huevo

225 g de azúcar lustre

175 g de almendras molidas

225 g de chocolate negro

SUGERENCIA

El papel de arroz es comestible, por lo que se puede recortar el sobrante alrededor de las pastas. Si no le gusta, lo puede despegar antes de bañaralas con el chocolate.

1 Forre 2 bandejas para el horno con papel de arroz. En un bol, bata las claras a punto de nieve, e incorpórele el azúcar y las almendras molidas.

2 Introduzca la pasta en una manga pastelera grande con una boquilla lisa de 1 cm, y extienda varios cilindros de pasta de unos 7,5 cm, dejando espacio entre ellos, pues crecen durante la cocción.

3 Cueza las galletas en el horno precalentado a 180 °C durante 15-20 minutos, hasta que se doren. Deje que se enfríen sobre una rejilla metálica. Recorte el papel de arroz alrededor de los bordes.

4 Derrita el chocolate y moje en él la base de cada pasta. Colóquelas sobre una lámina de papel vegetal y deje que cuaje el chocolate.

5 Si ha sobrado un poco de chocolate, puede rociar la parte superior de las pastas, dibujando unos hililllos. Asegúrese de que esté cuajado antes de servirlas.

1

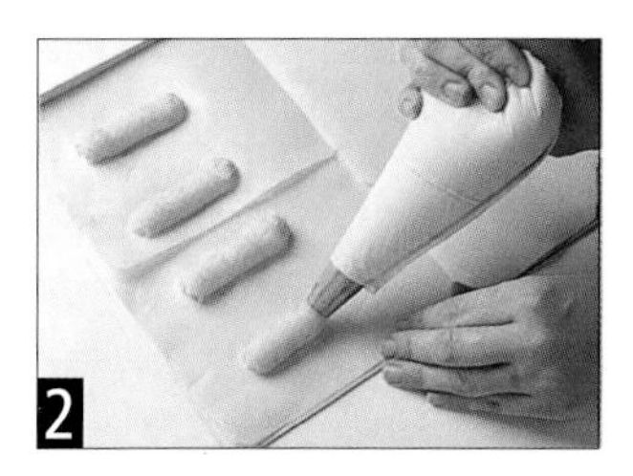

2

3

pastas de avena con gotas de chocolate

para 12 unidades

125 g de mantequilla

75 g de azúcar lustre

1 cucharada de melaza de caña

350 g de copos de avena

75 g de gotas de chocolate negro

50 g de sultanas

SUGERENCIA

Estas pastas se conservan hasta 1 semana en un recipiente hermético, pero son tan apetitosas que es poco probable que duren tanto tiempo.

1 Engrase ligeramente un molde cuadrado de 20 cm de lado.

2 En un cazo, caliente a fuego lento la mantequilla, el azúcar y la melaza de caña, removiendo, hasta que la mantequilla y el azúcar se hayan fundido y todo esté bien mezclado.

3 Retire el cazo del fuego e incorpore los copos de avena, removiendo para recubrirlos. Añada las gotas de chocolate y las sultanas, y mézclelo todo bien.

2

3

3

4 Extienda la pasta en el molde, presionando bien.

5 Cueza el pastel en el horno precalentado a 180 °C durante 30 minutos. Deje que se entibie y dibuje las marcas por donde cortará. Cuando esté casi frío, córtelo siguiendo las marcas, en barritas o cuadrados, y colóquelos sobre una rejilla metálica para que se acaben de enfriar.

cookies con gotas de chocolate

para 18 unidades

175 g de harina

1 cucharadita de levadura en polvo

125 g de margarina ablandada

90 g de azúcar mascabado claro

60 g de azúcar lustre

½ cucharadita de esencia de vainilla

1 huevo

125 g de gotas de chocolate negro

VARIACIONES

Cookies de chocolate y frutos secos: añada 40 g de avellanas picadas a la pasta básica.

Cookies con el doble de chocolate: añada 40 g de chocolate negro fundido.

Cookies con gotas de chocolate blanco: utilice gotas de chocolate blanco en lugar de gotas de chocolate negro.

1 Ponga todos los ingredientes en un cuenco grande y mézclelos.

2 Engrase ligeramente 2 bandejas para el horno. Deposite varias cucharadas repletas de pasta sobre las bandejas, dejando espacio entre ellas porque su volumen aumenta bastante durante la cocción.

3 Cueza las galletas en el horno precalentado a 190 °C durante 10-12 minutos, o hasta que estén doradas.

4 Retire los *cookies* de la bandeja con una espátula y colóquelos sobre una rejilla metálica para que se enfríen.

4

galletas de millonario

para 4 personas

175 g de harina blanca
125 g de mantequilla, en dados
4 cucharadas de azúcar moreno, tamizado

COBERTURA
55 g de mantequilla
4 cucharadas de azúcar moreno
400 ml de leche condensada
150 g de chocolate con leche

1 Engrase un molde cuadrado de 23 cm con mantequilla.

2 Tamice la harina en un bol y añada la mantequilla, trabajándola con dedos hasta que la pasta tenga una consistencia quebradiza. Añada el azúcar y mézclelo hasta quedar firme.

2

3 Extienda la pasta sobre la base del molde, presionando con los dedos, y pínchela con un tenedor.

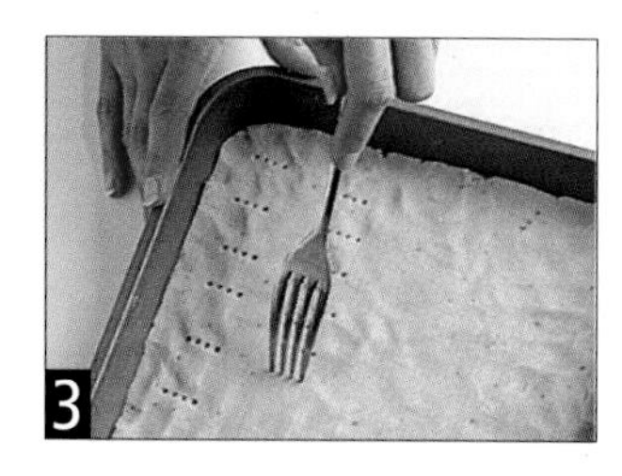
3

4 Cuézala en el horno precalentado a 190º C unos 20 minutos, hasta que esté ligeramente dorada. Deje que se enfríe en el molde.

5 Para la cobertura, caliente a fuego lento en un cazo antiadherente la mantequilla, el azúcar y la leche condensada, sin dejar de remover hasta que rompa el hervor.

SUGERENCIA

Antes de cubrir el caramelo con el chocolate fundido, asegúrese de que la cobertura esté completamente fría, puesto que de lo contrario, se mezclarían.

6 Baje el fuego y cueza la crema unos 4-5 minutos más, hasta que adquiera un tono dorado, se espese y se desprenda de los bordes del cazo. Vierta la cobertura sobre la base del molde y deje que se enfríe.

6

7 Cuando la cobertura de caramelo esté cuajada, funda el chocolate con leche en un cuenco resistente al calor colocado sobre una cacerola con agua hirviendo a fuego lento. Extienda el chocolate fundido sobre la cobertura, deje que cuaje en un lugar fresco y luego corte el pastel en varios trozos cuadrados o rectangulares.

florentinas

para 10 unidades

55 g de mantequilla
4 cucharadas de azúcar lustre
3 cucharadas de harina blanca, tamizada
50 g de almendras, picadas
50 g de piel de frutas confitada
25 g de pasas, picadas
25 g de guindas, picadas
ralladura de ½ limón
125 g de chocolate negro, fundido

VARIACIÓN

Sustituya el chocolate negro por chocolate blanco o, si prefiere un resultado más vistoso, cubra una mitad con chocolate blanco y la otra con chocolate negro.

1 Forre dos bandejas grandes con papel vegetal. Reserve.

2 Caliente la mantequilla con el azúcar en un cazo pequeño, hasta que la mantequilla se funda y el azúcar se disuelva. Aparte el cazo del fuego.

2

3 Incorpore la harina y mezcle bien. Añada el resto de los ingredientes, excepto el chocolate, y mézclelo. Ponga varias cucharaditas de la mezcla sobre el papel vegetal, distanciadas entre sí.

3

4 Cueza las pastas en el horno precalentado a 180° C durante 10 minutos, o hasta que se hayan dorado ligeramente.

5 Retire las florentinas del horno y recorte los bordes con un cortapastas redondo. Deje que se entibien en la bandeja hasta que queden firmes y páselas a una rejilla metálica para que se enfríen del todo.

5

6 Unte con el chocolate fundido la cara lisa de las florentinas. Cuando el chocolate empiece a estar cuajado, dibuje ondas con un tenedor. Deje que se enfríen con el lado bañado en chocolate hacia arriba.

galletas de chocolate y limón

para 40 unidades

175 g de mantequilla ablandada
300 g azúcar lustre
1 huevo batido
350 g de harina blanca
25 g de chocolate negro, fundido y tibio
ralladura de 1 limón

SUGERENCIA

Para enrollar las dos pastas con más facilidad, colóquelas entre dos hojas de papel vegetal.

1 Engrase y enharine diversas bandejas para el horno para disponer sobre ellas 40 galletas.

2 Bata la mantequilla con el azúcar en un cuenco grande hasta que la mezcla quede ligera y esponjosa.

3 Incorpore el huevo batido poco a poco a la crema de mantequilla, batiendo bien.

4 Tamice la harina e incorpórela, mezclando bien hasta obtener una pasta de consistencia blanda.

5 Ponga la mitad de la pasta en otro cuenco e incorpórele el chocolate fundido tibio. Mézclelo bien hasta que adquiera una textura homogénea.

6 Agregue la ralladura de limón a la otra mitad de pasta.

7 Extienda las dos pastas sobre una superficie ligeramente enharinada y componga dos rectángulos del mismo tamaño.

8 Coloque la pasta de limón encima de la de chocolate. Enrolle los dos rectángulos, apretando bien. Utilice una hoja de papel vegetal para guiarse. Deje la pasta en la nevera hasta que esté fría y se endurezca.

9 Corte el rollo en 40 rebanadas y dispóngalas sobre las bandeja de horno. Cueza las galletas en el horno precalentado a 190 °C unos 10-12 minutos, hasta que estén ligeramente doradas. Páselas a una rejilla metálica para que se enfríen del todo.

5

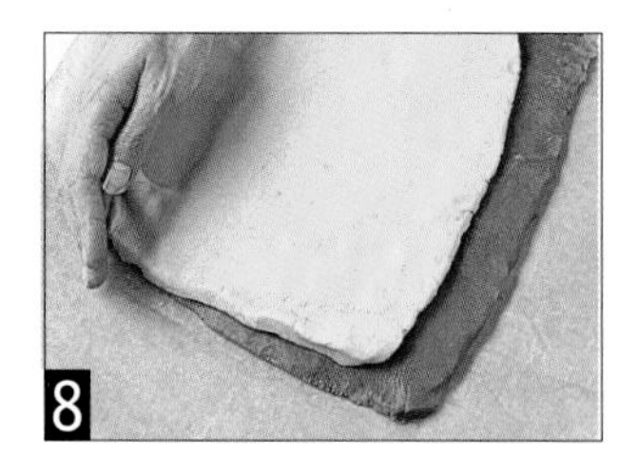
8

9

pretzels de chocolate

para 30 unidades

100 g de mantequilla sin sal

100 g de azúcar lustre

1 huevo

225 g de harina

2 cucharadas de cacao en polvo

ACABADO

15 g de mantequilla

100 g de chocolate negro

azúcar glasé, para espolvorear

2

3

1 Engrase ligeramente una bandeja de hornear. En un bol, bata la mantequilla con el azúcar hasta obtener una crema ligera y esponjosa. Añada el huevo.

2 Tamice la harina con el cacao en polvo e incorpórelo a la crema, batiendo hasta formar una pasta suave. Cuando añada la última parte de la harina, amásela un poco con las manos. Deje la pasta 15 minutos en la nevera.

3 Prepare montoncitos de pasta y forme cilindros finos de unos 10 cm de largo y 6 mm de grosor. Deles forma de *pretzel* anudándolos tal como se indica en las imágenes.

4 Coloque las galletas sobre la bandeja, dejando un poco de espacio entre ellas porque crecen durante la cocción.

5 Cueza los *pretzels* en el horno precalentado a 190 °C durante 8-12 minutos. Deje que se entibien en la bandeja y después páselos a una rejilla metálica para que se enfríen.

6 Derrita la mantequilla con el chocolate al baño María, a fuego suave, removiendo para mezclar.

7 Bañe la mitad de cada *pretzel* en el chocolate y déjelos escurrir en un bol. Póngalos sobre una hoja de papel vegetal.

8 Cuando el chocolate esté cuajado, espolvoree las otras mitades con azúcar glasé antes de servirlos.

cajas de chocolate

para 4 unidades

- 225 g de chocolate negro
- 1 bizcocho de unos 225 g normal o de chocolate, comprado o preparado en casa
- 2 cucharadas de mermelada de albaricoque
- 150 ml de nata espesa
- 1 cucharada de sirope de arce
- 100 g de fruta fresca, como fresitas, frambuesas, kiwis o grosellas

1 Derrita el chocolate negro y extiéndalo sobre una hoja grande de papel vegetal. Deje que cuaje en un lugar fresco.

2 Cuando esté cuajado, córtelo en cuadrados de 5 cm de lado y retire el papel. Procure tener las manos lo más frías posible, y toque el chocolate sólo lo imprescindible.

3 Corte 2 dados de bizcocho de 5 cm de lado, y después cada uno por la mitad. Caliente la mermelada de albaricoque y pinte con ella los lados. Con cuidado, presione un cuadrado de chocolate en cada lado de las porciones de pastel, para obtener 4 cajas de chocolate con un trozo de bizcocho dentro. Déjelas durante 20 minutos en la nevera.

4 Monte la nata con el sirope. Con una cuchara o una manga pastelera, ponga un poco de nata dentro de cada caja de chocolate.

5 Decore la parte superior con la fruta preparada. Si lo desea, puede bañar parcialmente la fruta en chocolate fundido y dejar que cuaje antes de decorar las cajas.

mini torrijas con chocolate

para 24 unidades

4 huevos, ligeramente batidos
600 ml de leche
5 cucharadas de jerez
8 rebanadas de pan blanco del día anterior, de 1 cm de grosor
4 cucharadas de aceite de girasol
115 g de azúcar lustre
225 g de chocolate negro, rallado
helado de vainilla, para servir

1 Ponga los huevos batidos, la leche y el jerez en una fuente, y bátalo ligeramente para mezclarlo. Corte cada rebanada de pan en tres rectángulos. Moje los trozos de pan en la mezcla preparada y escúrralos sobre papel de cocina.

2 Caliente el aceite en una sartén de base gruesa. Fría las torrijas a fuego medio 12 minutos por cada lado, hasta que se doren. Retírelas del fuego y colóquelas sobre papel de cocina para que absorba el aceite.

3 Cuando estén todas las torrijas fritas y escurridas, rebócelas primero con azúcar y después con el chocolate negro rallado. Colóquelas sobre un plato caliente y sírvalas de inmediato, acompañadas con helado de vainilla.

galletas de merengue

para 30 unidades

1 clara de huevo

4 cucharadas de azúcar lustre

1½ cucharadita de cacao en polvo

140 de chocolate negro, troceado

1 Forre una bandeja para el horno con papel vegetal. Bata la clara de huevo hasta que quede esponjosa, añada la mitad del azúcar y siga batiendo hasta que obtenga una consistencia firme y satinada. Añada el resto del azúcar y el cacao en polvo.

2 Ponga el merengue en una manga pastelera con boquilla redonda de 1 cm. Disponga tiras de merengue de 7,5 cm sobre la bandeja preparada, dejando espacios de 2,5 cm, como mínimo, entre ellas. Cuézalas en el horno precalentado a 120 °C durante una hora, hasta que estén del todo secas. Retírelas del horno y páselas a una rejilla metálica para que se enfríen.

3 Disponga el chocolate en un cuenco resistente al calor y colóquelo sobre una cacerola con agua hirviendo a fuego lento. Remueva constantemente hasta que el chocolate se derrita y quede cremoso. Apártelo del fuego y deje que se entibie. Bañe las galletas en el chocolate de una en una, procurado que sólo quede recubierta una mitad de las galletas. Se pueden recubrir tanto transversal como longitudinalmente. Coloque las galletas sobre papel vegetal hasta que cuaje el chocolate.

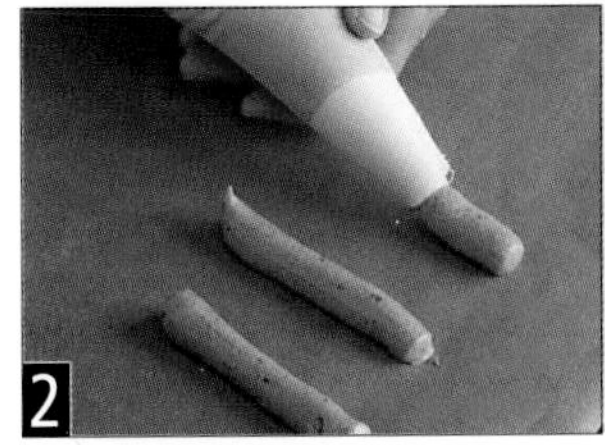

2

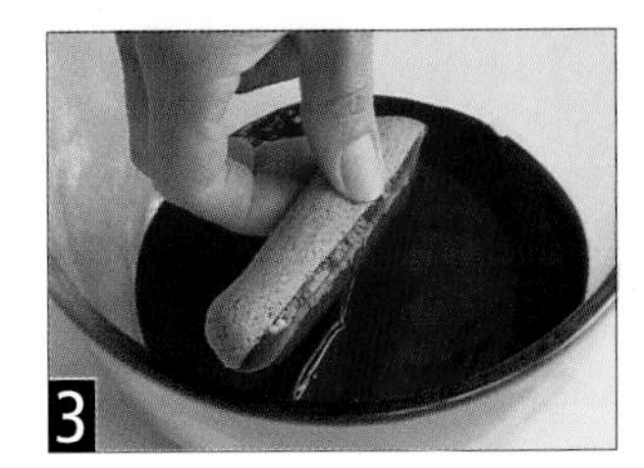

3

Dulces y bebidas

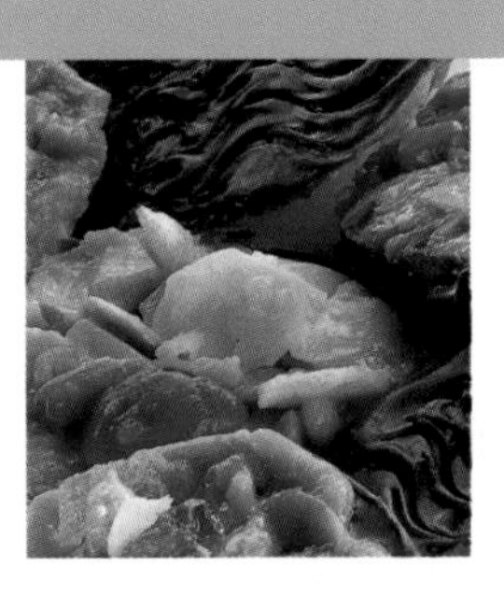

No hay nada mejor que los dulces y los bombones caseros: no tienen ni punto de comparación con los industriales.

En este capítulo hallará recetas para todos los gustos: fantásticas trufas italianas que se deshacen en la boca, mazapanes de chocolate, bocaditos de chocolate y frutos secos, mini tartaletas de chocolate y tentadores bombones de licor... Todas están aquí. Hay, incluso, una receta sencilla para preparar el dulce de chocolate que le evitará la preocupación de controlar la temperatura del azúcar con el termómetro de cocina.

Y por si necesita regar todas estas delicias, hemos incluido unas recetas de bebidas refrescantes de chocolate adecuadas para aliviar el calor veraniego y otras que le harán entrar en calor en la noches de invierno: unas bebidas calientes que superan con creces el habitual chocolate a la taza.

bombones de licor

para 40 unidades

100 g de chocolate negro
unas 5 guindas confitadas, partidas por la mitad
unas 10 avellanas o nueces de macadamia
150 ml de nata espesa
2 cucharadas de azúcar glasé
4 cucharadas de licor
ACABADO
50 g de chocolate negro, fundido
un poco de chocolate blanco, fundido o en virutas (véase pág. 7), o frutos secos y cerezas

SUGERENCIA

Hay diferentes tamaños de capacillos. Para esta receta utilice los más pequeños.

1 Forre una bandeja para el horno con papel vegetal. Derrita el chocolate y reparta varias cucharadas entre 20 capacillos de papel, untando también los lados con una cucharita o un pincel de repostería. Póngalos boca abajo sobre la bandeja y deje que el chocolate cuaje.

2 Con cuidado, retire los capacillos de papel. Coloque una guinda o fruto seco sobre la base de cada uno.

3 Para preparar el relleno, ponga la nata líquida en un cuenco grande y tamice por encima el azúcar glasé. Monte la nata no demasiado espesa y añada el licor.

4 Introduzca la nata en una manga pastelera equipada con una boquilla lisa de 1 cm, y deposite un poco en cada capacillo. Déjelos en la nevera 20 minutos.

5 Para terminar, disponga varias cucharadas de chocolate negro fundido por encima de la nata para recubrirla y, con la manga pastelera, dibuje unos adornos de chocolate blanco. Con un pincho de cocina, haga unos dibujos. Deje que cuaje el chocolate. Como alternativa, puede cubrir la nata con el chocolate negro fundido y decorarlo con virutas de chocolate blanco antes de que se seque, o bien colocar un trocito de fruto seco o de guinda sobre la nata y después recubrirlo con chocolate negro.

bocaditos con frutos secos

para 30 unidades

175 g de chocolate blanco troceado
100 g de galletas integrales
100 g de nueces de macadamia o del Brasil, picadas
25 g de jengibre fresco picado (opcional)
175 g de chocolate negro

1 Forre una bandeja para el horno con papel vegetal. Ponga el chocolate blanco en un cuenco grande y fúndalo al baño María a fuego lento, removiendo constantemente.

2 Trocee las galletas e incorpore los trozos al chocolate fundido, junto con los frutos secos y el jengibre, si lo utiliza.

3 Esparza varias cucharaditas de mezcla sobre la bandeja para el horno y déjela en la nevera.

4 Cuando los bocaditos se hayan endurecido, despéguelos del papel con cuidado.

5 Derrita el chocolate negro y déjelo entibiarse. Sumerja los bocaditos en el chocolate. Colóquelos de nuevo sobre la bandeja de hornear y déjelos en la nevera hasta que la cobertura haya cuajado.

dulce de chocolate con fruta y frutos secos

para 25 unidades

250 g de chocolate negro

25 g de mantequilla

4 cucharadas de leche evaporada

450 g de azúcar glasé tamizado

50 g de avellanas troceadas

50 g de sultanas

VARIACIÓN

Puede utilizar otros frutos secos, como almendras, nueces, nueces del Brasil o pacanas.

1 Engrase un molde cuadrado de 20 cm de lado.

2 Trocee el chocolate y póngalo con la mantequilla y la leche evaporada en un bol colocado sobre una cazuela con agua caliente a fuego lento. Remueva hasta que el chocolate y la mantequilla se fundan y todo esté bien mezclado.

3 Retire el cazo del fuego y añada poco a poco el azúcar glasé. Incorpore las avellanas y las sultanas. Presione la mezcla contra la base del molde y alise la superficie. Déjela en la nevera hasta que esté consistente.

4 Desmolde la pasta sobre una tabla de picar y córtela en cubos. Si lo desea, póngalos en capacillos de papel. Guárdelos en la nevera.

mini tartaletas de chocolate

para 18 unidades

175 g de harina
85 g de mantequilla
1 cucharada de azúcar lustre
1 cucharada de agua

RELLENO

100 g de queso cremoso
2 cucharadas de azúcar lustre
1 huevo pequeño, ligeramente batido
50 g de chocolate negro

PARA DECORAR

100 ml de nata espesa
virutas de chocolate negro (pág. 7)
cacao en polvo, para espolvorear

SUGERENCIA

Puede preparar estas tartaletas hasta con 3 días de antelación, pero decórelas el día que las vaya a servir, no más de 4 horas antes.

1 Tamice la harina en un bol. Trocee la mantequilla y, con los dedos, mézclela con la harina hasta obtener una consistencia de pan rallado. Añada el azúcar. Agregue agua suficiente para formar una pasta suave, cúbrala y déjela 15 minutos en la nevera.

2 Extienda la pasta sobre una superficie enharinada y forre con ella 18 moldes para mini tartaletas. Pinche las bases con un pincho.

3 Bata el queso con el azúcar. Añada el huevo. Derrita el chocolate e incorpórelo, batiendo. Rellene los moldes con la pasta y cueza las tartaletas en el horno precalentado a 190 ºC durante 15 minutos, o hasta que la pasta esté crujiente y el relleno haya cuajado. Deje que se enfríen por completo en el molde, colocado sobre una rejilla metálica.

4 Guarde las tartaletas en la nevera. Monte la nata, no muy espesa, e introdúzcala en una manga pastelera con boquilla de estrella. Deposite una roseta de nata sobre cada tartaleta. Decórelas con pequeñas virutas de chocolate y espolvoréelas con cacao en polvo.

2

3

4

bocaditos empedrados

para 18 unidades

- 125 g de chocolate con leche
- 50 g de pequeños dulces de malvavisco de varios c olores
- 25 g de nueces picadas
- 25 g de orejones de albaricoque que no requieran remojo, picados

VARIACIÓN

Los dulces de malvavisco se venden en color blanco o en tonos pastel. Si no encuentra de tamaño miniatura, cómprelos grandes y córtelos antes de mezclarlos con el chocolate en el paso 3.

1 Forre una bandeja para el horno con papel vegetal.

2 Trocee el chocolate, póngalo en un cuenco grande colocado sobre un cazo con agua caliente y remueva hasta que se haya fundido.

3 Añada los dulces de malvavisco, las nueces y los orejones, y mézclelo todo con el chocolate hasta que quede bien recubierto.

4 A continuación, ponga varias cucharadas de mezcla sobre la bandeja ya preparada.

5 Deje los dulces en la nevera hasta que cuaje el chocolate.

6 Una vez endurecidos, retírelos del papel con cuidado.

7 Puede colocar los dulces en capacillos de papel antes de servirlos, si lo desea.

tartaletas de chocolate con mascarpone

para 20 unidades

100 g de chocolate negro

RELLENO

100 g de chocolate negro o con leche

½ de cucharadita de esencia de vainilla

200 g de queso mascarpone

cacao en polvo, para espolvorear

VARIACIÓN

Si lo prefiere, sustituya el mascarpone por nata ácida. Su delicado sabor combina bien con el chocolate.

1 Forre una bandeja para el horno con papel vegetal. Funda el chocolate y, con una cuchara, repártalo entre 20 capacillos de papel, untando también los lados con una cucharita o con un pincel. Póngalos boca abajo en la bandeja y deje que el chocolate cuaje.

2 Cuando haya cuajado, retire con cuidado los capacillos.

3 Para preparar el relleno, derrita el chocolate. Ponga el queso en un cuenco, añada la esencia de vainilla y el chocolate fundido y bata para mezclar bien. Deje la pasta en la nevera y bátala de vez en cuando, hasta que tenga la consistencia adecuada para rellenar la manga pastelera.

4 Introduzca la pasta en la manga equipada con una boquilla de estrella y deposite rosetas en los capacillos. Para decorar, espolvoréelos con cacao en polvo.

1

3

4

trufas al ron

para unas 20 unidades

125 g de chocolate negro
un trocito de mantequilla
2 cucharadas de ron
50 g de coco rallado
100 g de migas de bizcocho
6 cucharadas de azúcar glasé
2 cucharadas de cacao en polvo

SUGERENCIA

Es importante que el chocolate esté cortado en trozos de igual tamaño. De este modo se fundirá uniformemente.

1 Trocee el chocolate e introdúzcalo, con la mantequilla, en un bol colocado sobre una cazuela con agua caliente a fuego lento; remueva hasta que se fundan.

2 Retire el bol del cazo y añada el ron. Incorpore el coco rallado, las migas de bizcocho y ⅔ del azúcar glasé. Bata para mezclarlo. Añada un poco de ron si la pasta está demasiado espesa.

3 Extienda la pasta con el rodillo, haga unas bolitas y póngalas sobre una hoja de papel vegetal. Déjelas en la nevera hasta que tengan una consistencia firme.

4 Tamice el resto del azúcar glasé sobre un plato, y el cacao en polvo, en otro. Reboce la mitad de las trufas con el azúcar glasé, y el resto con el cacao.

5 Ponga las trufas en capacillos de papel y déjelas en la nevera hasta el momento de servirlas.

VARIACIÓN

Prepare las trufas con chocolate blanco y sustituya el ron por licor de coco o leche, si lo prefiere. Rebócelas con cacao en polvo o báñelas en chocolate blanco fundido.

mini cornetes de chocolate

para 10 unidades

75 g de chocolate negro

100 ml de nata espesa

1 cucharada de azúcar glasé

1 cucharada de crema de menta

granos de café bañados en chocolate (opcional)

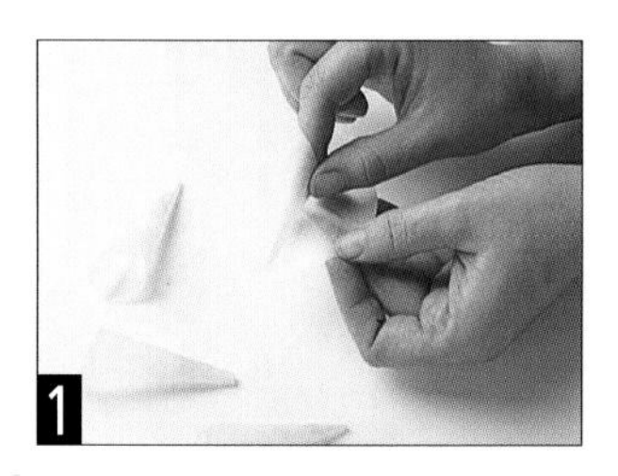

1

2

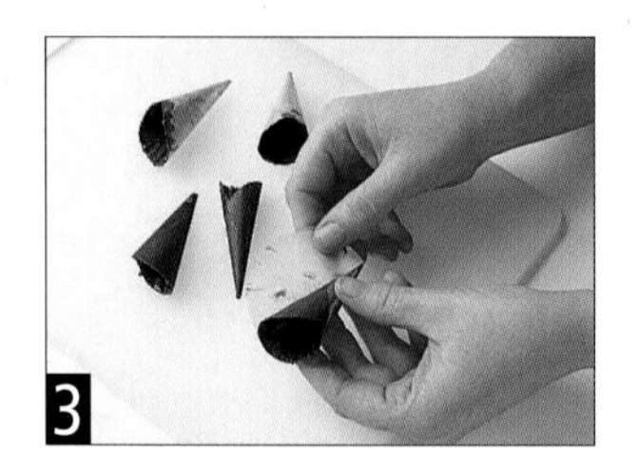

3

1 Recorte 10 círculos de 7,5 cm de papel vegetal. Deles forma cónica y sujételos con celo para que no se abran.

2 Trocee el chocolate y derrítalo. Con un pincel de repostería pequeño o uno corriente bien limpio, pinte el interior de cada cucurucho con chocolate fundido.

3 Aplique una segunda capa de chocolate y déjelos en la nevera hasta que se endurezcan. Retire el papel con mucho cuidado.

4 Ponga la nata, el azúcar y la crema de menta en un cuenco y bátala hasta que se espese. Póngala en una manga pastelera equipada con una boquilla de estrella y rellene los cornetes.

5 Decórelos con granos de café bañados en chocolate y déjelos en la nevera hasta el momento de servirlos.

collettes

para 20 unidades

100 g de chocolate blanco

RELLENO

150 g de chocolate negro a la naranja

150 ml de nata espesa

2 cucharadas de azúcar glasé

SUGERENCIA

Si los capacillos se deforman al poner el chocolate, superponga dos para hacerlos más rígidos. Los capacillos de papel de aluminio son más resistentes.

1 Forre una bandeja con papel vegetal. Derrita el chocolate y viértalo en 20 capacillos de papel; unte los lados con una cucharita o un pincel de repostería. Póngalos boca abajo en la bandeja y déjelos cuajar.

2 Cuando el chocolate esté duro, retire con cuidado los capacillos.

3 Para preparar el relleno, derrita el chocolate a la naranja y, en un cuenco grande, mézclelo con la nata y el azúcar glasé. Bata hasta obtener una crema lisa. Déjela en la nevera hasta que tenga consistencia para ponerla en la manga pastelera, removiendo de vez en cuando.

4 Introduzca la crema en una manga pastelera equipada con una boquilla de estrella y deposite una roseta en cada capacillo. Guarde las *collettes* en la nevera.

mazapanes de chocolate

para unas 30 unidades

450 g de mazapán
25 g de guindas confitadas, picadas muy finas
25 g de jengibre fresco, muy picado
50 g de orejones de albaricoque que no requieran remojo, picados muy finos
350 g de chocolate negro
25 g de chocolate blanco
azúcar glasé, para espolvorear

1 Forre una bandeja para el horno con papel vegetal. Divida el mazapán en 3 bolas y amáselas.

2 Incorpore las guindas picadas en una porción de mazapán amasando sobre una superficie ligeramente espolvoreada con azúcar glasé.

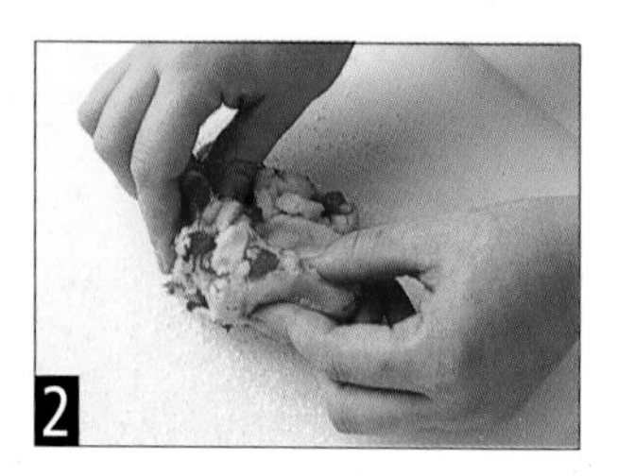
2

3 Haga lo mismo con el jengibre y la segunda porción de mazapán, y con los albaricoques y la tercera.

4 Forme bolitas con cada porción de mazapán y reserve los distintos sabores por separado.

5 Derrita el chocolate negro. Bañe las bolitas de mazapán con el chocolate ensartándolas en un pincho de cocina o brocheta pequeña, y deje que el exceso de chocolate caiga en el bol.

6 Con cuidado, junte tres bolitas de distinto sabor sobre la hoja de papel vegetal. Haga lo mismo con el resto del mazapán. Déjelas en la nevera para que se endurezca el chocolate.

5

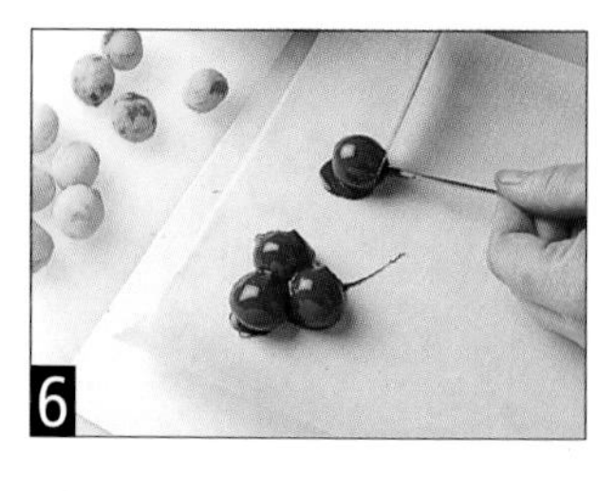
6

7 Derrita el chocolate blanco y déjelo caer formando hilillos sobre cada bocadito. Déjelos en la nevera hasta que el chocolate haya cuajado, retírelos de la bandeja y espolvoréelos con azúcar glasé antes de servirlos.

VARIACIÓN

Si lo prefiere, puede bañar las bolitas de mazapán con chocolate con leche y rociarlas con chocolate negro.

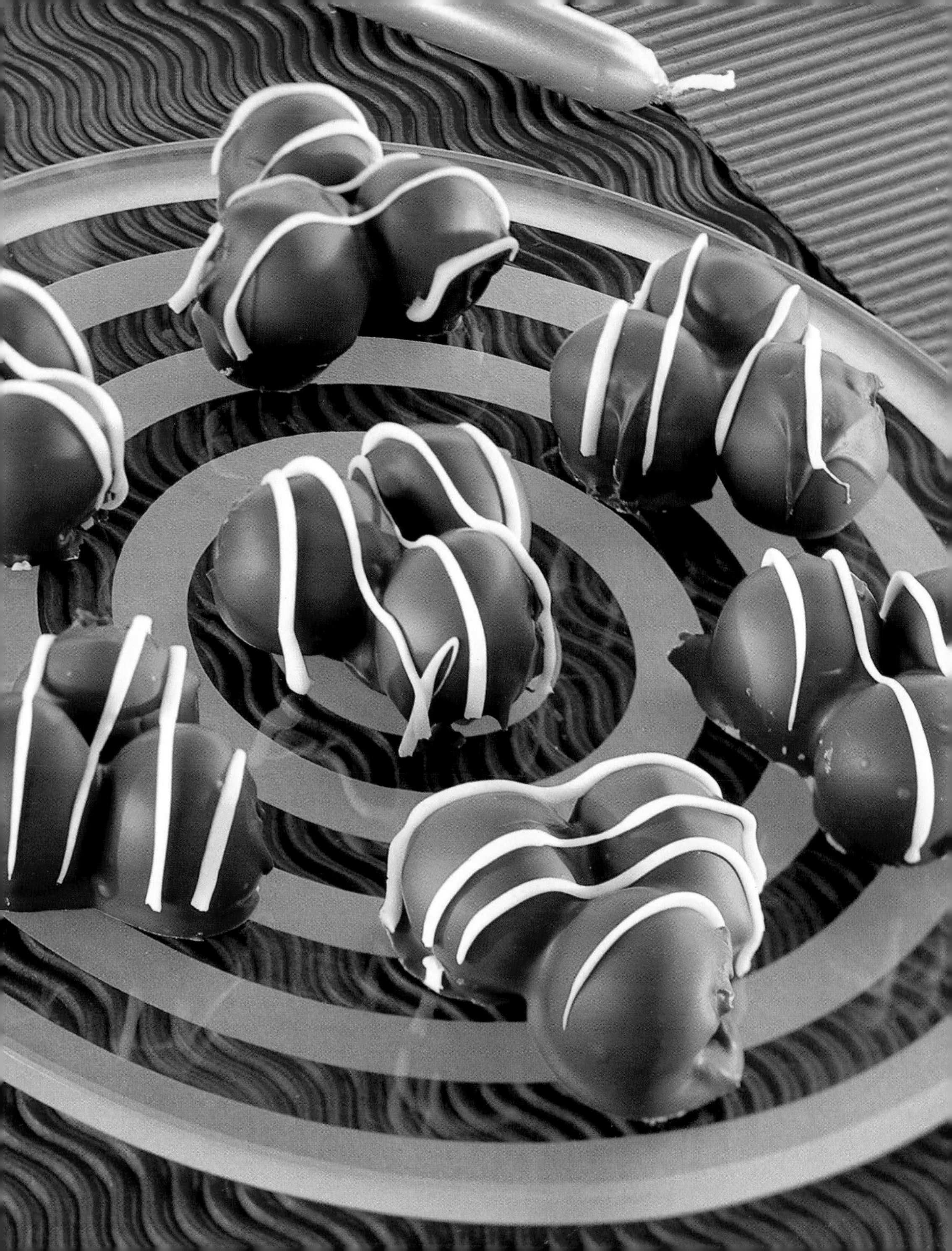

mini florentinas

para 40 unidades

85 g de mantequilla
75 g de azúcar lustre
2 cucharadas de pasas, sultanas, 2 de jengibre cristalizado picado, y 2 de guindas confitadas, picadas
25 g de semillas de girasol
100 g de almendras fileteadas
2 cucharadas de nata espesa
175 g de chocolate negro o con leche.

1 Engrase ligeramente y enharine 2 bandejas para el horno, o fórrelas con papel vegetal.

2 Ponga la mantequilla en un cazo, y caliéntela a fuego lento hasta que se funda. Añada el azúcar, remueva hasta que se haya disuelto, y llévelo a ebullición. Retírelo del fuego e incorpore las pasas, las guindas, el jengibre, las semillas de girasol y las almendras. Mézclelo todo bien, y a continuación agregue la nata líquida.

3 Esparza cucharaditas de mezcla sobre la bandeja preparada, dejando espacio entre ellas porque aumentan de tamaño durante la cocción. Cueza las galletas en el horno a 180 °C unos 10-12 minutos, hasta que estén ligeramente doradas.

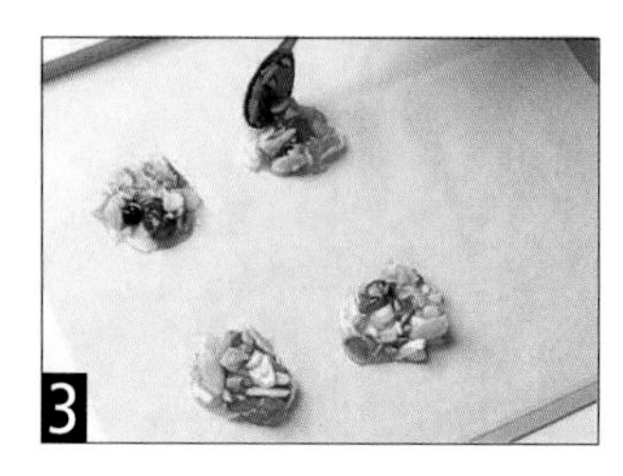
3

4 Retire las galletas del horno y, mientras todavía estén calientes, recorte los bordes con un cortapastas redondo para obtener redondeles perfectos. Deje que se enfríen y se endurezcan antes de sacarlas de la bandeja y despegarlas del papel.

4

5 Funda casi todo el chocolate y extiéndalo sobre una hoja de papel vegetal. Cuando esté a punto de cuajar, moje la base de las galletas con el chocolate y deje que se seque por completo.

5

6 Recorte las florentinas y retírelas del papel vegetal. Vierta un poco más de chocolate fundido sobre las caras ya cubiertas y secas, y dibuje unas ondas con un tenedor. Deje que el chocolate vuelva a enfriarse. Coloque las florentinas en una fuente o en una caja para regalo, alternando las caras. Manténgalas frescas.

dulce de chocolate fácil

para 25-30 unidades

500 g de chocolate negro

75 g de mantequilla sin sal

1 lata de 400 g de leche condensada

½ cucharadita de esencia de vainilla

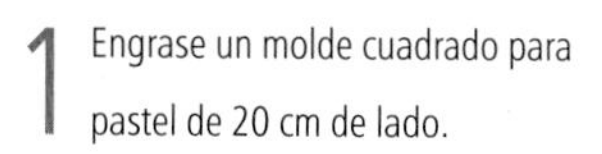

1 Engrase un molde cuadrado para pastel de 20 cm de lado.

2 Trocee el chocolate y póngalo en un cazo grande con la mantequilla y la leche condensada.

3 Caliéntelo a fuego lento sin que llegue a hervir, removiendo, hasta que se haya fundido y la mezcla esté suave.

4 Retire el cazo del fuego. Añada esencia de vainilla y bata la mezcla unos minutos hasta que se espese. Vierta la pasta en el molde y alise la superficie.

5 Deje que el dulce se enfríe en la nevera hasta que adquiera una consistencia firme.

6 Desmóldelo sobre una tabla de picar y córtelo en cubos.

SUGERENCIA

Ponga el dulce en un recipiente hermético y guárdelo en un lugar fresco y seco. No lo congele.

cerezas al chocolate

para 24 unidades

12 cerezas confitadas

2 cucharadas de ron o brandy

250 g de mazapán

125 g de chocolate negro

chocolate extra negro, blanco o con leche, para decorar (opcional)

VARIACIÓN

Aplane el mazapán, ponga la cereza en el centro y moldee la pasta a su alrededor para que quede firme. Reboce las bolitas.

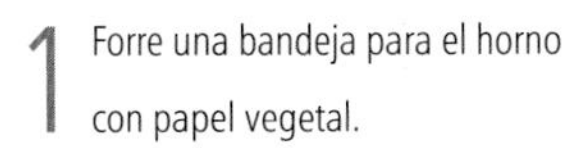

1 Forre una bandeja para el horno con papel vegetal.

2 Corte las cerezas por la mitad y póngalas en un bol. Añada el licor y remueva para que queden bien recubiertas. Déjelas macerar como mínimo durante 1 hora, removiendo de vez en cuando.

3 Divida el mazapán en 24 trozos y prepare las bolitas. Hunda media cereza en la parte superior de cada bolita.

4 Trocee el chocolate, póngalo en un cuenco y fúndalo al baño María,removiendo.

5 Reboce los dulces con el chocolate fundido y deje caer el exceso en el cuenco. Póngalos sobre la hoja de papel vegetal y déjelos en la nevera hasta que se endurezcan.

6 Si lo desea, funda un poco de chocolate para dibujar hilillos sobre los bombones de cereza. Deje que cuaje antes de servirlos.

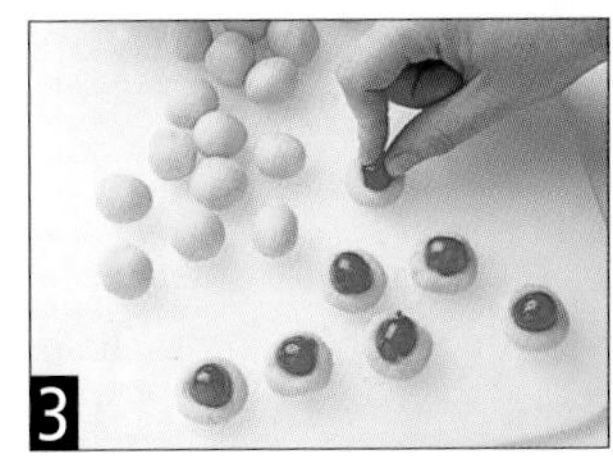

pirámides de coco y chocolate

para 12 unidades

150 ml de agua

450 g de azúcar granulado

1 pizca de crémor tártaro

115 g de coco rallado

1 cucharada de nata espesa

unas gotas de colorante alimentario amarillo

85 g de chocolate negro, troceado

SUGERENCIA

Utilice siempre chocolate de la mejor calidad para obtener unos resultados óptimos.

1 Vierta el agua en un cazo de base gruesa, añada el azúcar y caliéntelo a fuego lento, removiendo, hasta que el azúcar se disuelva. Agregue una pizca de crémor tártaro y llévelo a ebullición. Déjelo hervir sin remover hasta alcanzar los 119 °C. Si no dispone de termómetro, coja de vez en cuando una gota de almíbar y déjela caer en un bol pequeño con agua fría. Si se forma una bola que resulta blanda al frotarla entre el dedo índice y el pulgar, es que está listo.

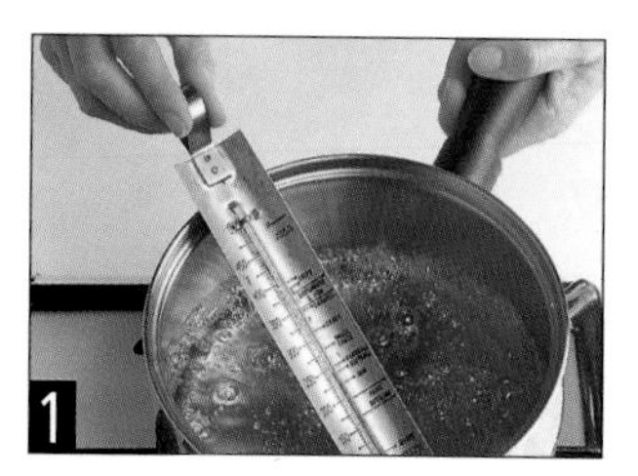

1

2 Aparte el cazo del fuego y añada el coco y la nata. Bátalo durante unos 5-10 minutos, hasta que la mezcla esté turbia. A continuación, añada las gotas de colorante amarillo y deje que se enfríe. Cuando esté lo bastante fría para manipularla, prepare varias pirámides con pequeñas cantidades de la mezcla. Disponga las pirámides sobre papel vegetal y deje que cuajen.

3 Coloque el chocolate en un recipiente y fúndalo al baño María, a fuego lento. Cuando se haya fundido, retire el cazo del fuego. A continuación, bañe la base de las pirámides con el chocolate fundido y deje que cuaje.

2

2

trufas de chocolate italianas

para 24 unidades

175 g de chocolate negro

2 cucharadas de licor de almendra (amaretto) o de naranja

40 g de mantequilla sin sal

4 cucharadas de azúcar glasé

50 g de almendras molidas

50 g de chocolate rallado

VARIACIÓN

El licor de almendra da a estas trufas un genuino sabor italiano. El auténtico amaretto di Saronno procede de la población italiana de Saronno.

1 En un bol colocado sobre un cazo con agua caliente, derrita el chocolate negro con el licor; remueva para mezclar bien.

2 Añada la mantequilla y remueva hasta que se funda. Incorpore el azúcar glasé y la almendra.

3 Deje la mezcla en un lugar fresco hasta que esté lo bastante firme para poder moldear las bolitas.

4 Coloque el chocolate rallado en un plato y reboce las trufas.

5 Póngalas en capacillos de papel y déjelas en la nevera.

2

2

4

trufas de chocolate blanco

para 20 unidades

25 g de mantequilla sin sal
5 cucharadas de nata espesa
225 g de chocolate blanco suizo de buena calidad
1 cucharada de licor de naranja (opcional)

ACABADO
100 g de chocolate blanco

1 Forre un molde para brazo de gitano con papel vegetal.

2 Ponga la mantequilla y la nata líquida en un cazo y llévelo lentamente a ebullición, sin dejar de remover. Hiérvalo 1 minuto y retírelo del fuego.

3 Trocee el chocolate e incorpórelo al contenido del cazo. Remueva hasta que se haya fundido y agregue el licor, si lo utiliza.

4 Vierta la pasta en el molde y déjela 2 horas en la nevera, para que se endurezca un poco.

5 Trocee la pasta y prepare las bolitas. Déjelas otros 30 minutos en la nevera.

6 Para el acabado, derrita el chocolate blanco y sumerja en él las bolitas dejando que el exceso caiga en el cuenco. Coloque las trufas sobre papel vegetal y, con un tenedor, dibuje unos remolinos con el chocolate de la cobertura. Deje que se cuajen.

7 Rocíe las trufas con un poco de chocolate fundido, si lo desea, y espere a que se haya cuajado. Puede servir las trufas en capacillos.

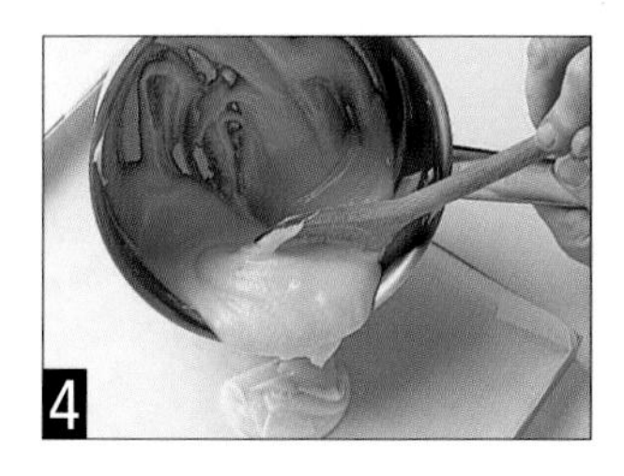
4

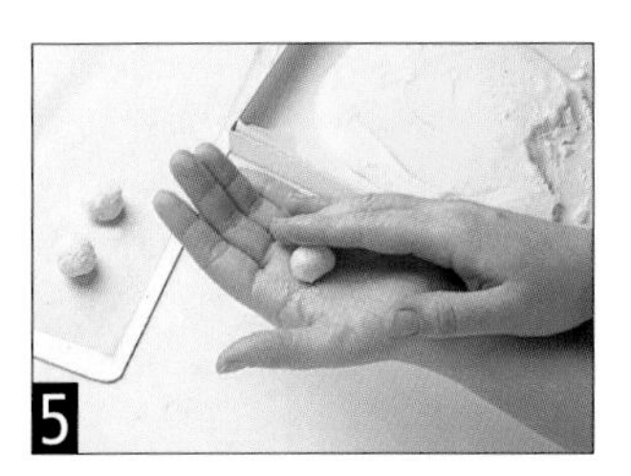
5

6

piel de cítricos confitada al chocolate

para 60 unidades

1 naranja grande de piel gruesa
1 limón grande de piel gruesa
1 lima grande de piel gruesa
600 g de azúcar glasé
300 ml de agua
125 g de chocolate negro de la mejor calidad, picado (opcional)

1 Corte la naranja en cuartos y exprímalos en un vaso. El zumo no va a ser utilizado en esta receta. Corte cada cuarto por la mitad a lo largo, para obtener 8 trozos.

2 Corte la pulpa y retire la parte blanca de la piel. Si quedaran restos, retírela con un cuchillo de sierra en posición casi horizontal sobre la parte interior de la piel. Debe retirarse toda la parte blanca de la piel puesto que tiene un sabor amargo.

3 Haga lo mismo con el limón y con la lima, cortando la lima sólo en cuartos. Corte cada trozo de piel en 3 o 4 tiras finas hasta obtener unas 60-80 en total. Ponga las tiras en un cazo con agua y hiérvalas durante 30 segundos. Escúrralas bien.

3

4 Disuelva el azúcar en el agua en un cazo a fuego medio, removiendo; suba el fuego y llévelo a ebullición sin remover. Cuando el almíbar esté transparente baje el fuego a mínimo.

5 Añada las tiras y manténgalas dentro del almíbar presionándolas con una cuchara de madera. Hiérvalas en el almíbar a fuego lento durante 30 minutos, sin remover. Apague el fuego y reserve las tiras al menos durante 6 horas hasta que estén completamente frías.

5

6 Forre una bandeja para el horno con papel de aluminio. Retire la capa fina que se ha formado encima del almíbar, sin remover. Saque las tiras del almíbar una por una, eliminando cualquier exceso de líquido. Colóquelas sobre el papel de aluminio para que se acaben de enfriar.

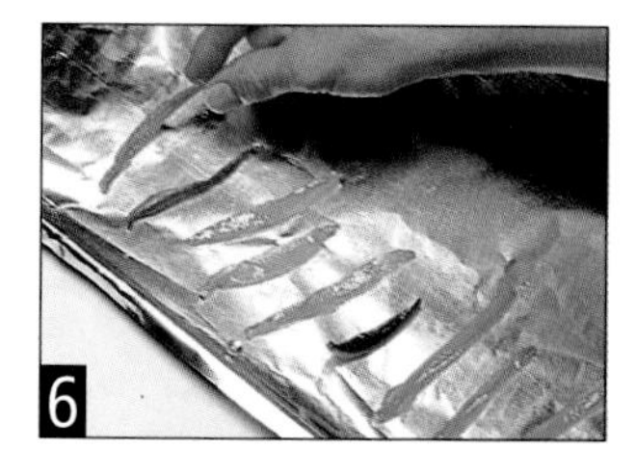
6

7 Para bañar las tiras confitadas en chocolate, funda el chocolate en un cuenco colocado sobre una cacerola con agua hirviendo a fuego lento. Una a una, bañe todas las tiras hasta la mitad. Vuelva a colocarlas sobre papel de aluminio, y cuando estén secas guárdelas en un recipiente hermético.

ponche de chocolate

para 4 personas

8 yemas de huevo

200 g de azúcar

1 litro de leche

225 g de chocolate negro, rallado

150 ml de ron añejo

1 Bata las yemas con el azúcar hasta obtener una crema espesa.

2 Vierta la leche en un cazo grande, añada el chocolate rallado y llévelo a ebullición. Apártelo del fuego e incorpore poco a poco las yemas batidas. Agregue el ron y vierta el ponche en 4 vasos resistentes al calor.

1

2

2

chocolate caliente al brandy

para 4 personas

1 litro de leche

115 g de chocolate negro, troceado

2 cucharadas de azúcar

5 cucharadas de brandy

PARA DECORAR

6 cucharadas de nata montada

4 cucharaditas de cacao en polvo, tamizado

1 Lleve la leche a ebullición en un cazo. Apártela del fuego. Ponga el chocolate en un cazo pequeño y añada 2 cucharadas de la leche hirviendo. Remueva a fuego lento hasta que el chocolate esté fundido. Incorpore el chocolate a la leche, y añada el azúcar.

2 Agregue el brandy, mézclelo y vierta la bebida en 4 vasos resistentes al calor. Remátelo con un remolino de nata montada y espolvoréelo con cacao en polvo.

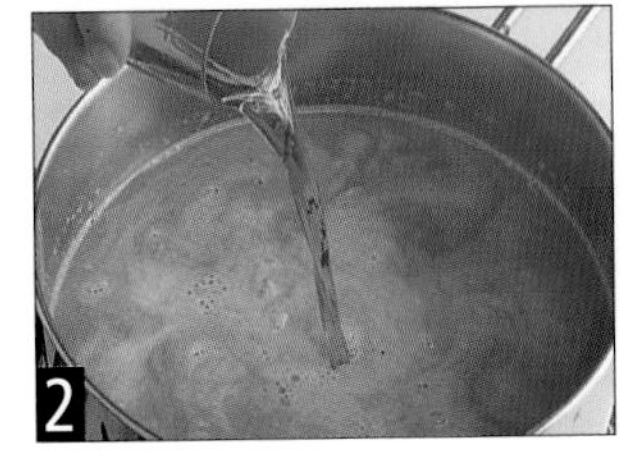

bebidas frías de chocolate

para 2 personas

BATIDO DE CHOCOLATE
450 ml de leche fría
3 cucharadas de cacao en polvo
3 bolas de helado de chocolate
cacao en polvo, para espolvorear
REFRESCO CON HELADO Y CHOCOLATE
5 cucharadas de salsa de chocolate brillante y agua de gaseosa
2 bolas de helado de chocolate
nata espesa, montada
chocolate negro o con leche, rallado

1 Para el batido de chocolate, ponga la mitad de la leche fría en una batidora.

2 Incorpore el cacao en polvo para batidos y una bola de helado de chocolate. Bata hasta obtener una mezcla espumosa y homogénea. Añada el resto de la leche.

3 A continuación, ponga las dos bolas de helado de chocolate restantes en sendos vasos para servir y, con cuidado, vierta la leche sobre el helado.

3

4 Espolvoree el batido con un poco de cacao en polvo (si lo desea) y sírvalo inmediatamente.

5 Para el refresco con helado y chocolate, reparta la salsa de chocolate en 2 vasos.

5

6 Vierta un poco de gaseosa en cada vaso y remueva para que se mezcle con la salsa. Ponga una bola de helado en cada vaso y llénelos hasta arriba con agua de gaseosa.

6

7 Remate con una cucharada de nata montada por encima, si lo desea, y espolvoree con un poco de chocolate rallado, negro o con leche.

SUGERENCIA

En un vaso alto, cualquiera de estas dos bebidas constituye un delicioso y elegante refrigerio. Si lo desea, sírvalas con una pajita.